Las guerras de este mundo

Las guerras de este mundo

Sociedad, poder y ficción en la obra
de Mario Vargas Llosa

 Planeta

El congreso *Las guerras de este mundo. Sociedad y poder en la obra de Mario Vargas Llosa* no habría sido posible sin la colaboración y el esfuerzo del Centro Cultural de la Pontificia Universidad Católica del Perú y del comité organizador, presidido por Alonso Cueto e integrado por Juan Carlos Adrianzén, Fiorella Moretti y Gabriela Zenteno.

Las guerras de este mundo
Mario Vargas Llosa
Sociedad, poder y ficción.
© 2008, Autores varios
© Pontificia Universidad Católica del Perú, 2008

© Editorial Planeta Perú S.A., 2008
Avenida Santa Cruz 244, San Isidro, Lima, Perú

Cuidado de edición: Laura Alzubide
Diseño de cubierta: Astrid Vidalón
Diagramación: Tigregraph S.A.C. / Daniel Torres

Primera edición: julio de 2008
Tiraje: 3,000 ejemplares

Hecho el depósito legal en la Biblioteca Nacional del Perú Nº
ISBN: 978-9972-239-52-6
Registro de Proyecto Editorial: 31501310800504
Depósito Legal Nº 2008- 08885

Impreso en Metrocolor S.A.
Av. Los Gorriones 350, La Campiña, Chorrillos
Lima, Perú

PRESENTACIÓN

La obra de Mario Vargas Llosa y el absoluto compromiso de su existencia hacia la creación y al arte, así como a la búsqueda constante de la libertad en las guerras de este mundo que le ha tocado vivir, refuerzan el compromiso del Centro Cultural de la Pontificia Universidad Católica del Perú de seguir trabajando en la apuesta constante por la cultura. Y de hacerlo con la clara convicción de que un pueblo sin pensamiento, sin arte, sin literatura y sin reflexión sobre su propia historia podrá sobrevivir en el subdesarrollo, pero jamás salir de el.

Por ello, dentro del marco de las actividades de la XI Cumbre Iberoamericana de Jefes de Estado y de Gobierno, realizada en noviembre de 2001 en la ciudad de Lima, la Universidad Católica del Perú, a través de su centro cultural, organizó el congreso *Las guerras de este mundo. Sociedad y poder en la obra de Mario Vargas Llosa*. Durante aquellos cuatro días celebramos una fiesta de las ideas que nos permitió dialogar con los otros y con nosotros mismos. Redescubrimos la visión de nuestro más grande escritor y las perspectivas de nuestra sociedad y nuestra historia que de su obra se derivan.

Hoy, gracias al esfuerzo conjunto de nuestro centro cultural y la prestigiosa Editorial Planeta, podrán leer a continuación los planteamientos, sentimientos y vivencias expresados por artistas, intelectuales, escritores, ensayistas, críticos, editores, hombres de teatro y cineastas cuyos testimonios personales ayudaron a configurar la dimensión total de una obra y una vida en defensa constante de la civilización.

Al dejar inscrita en estas páginas la memoria de aquel congreso de hace ocho años, consolidamos, inaccesibles al desaliento, un paso más en la incansable lucha de la cultura frente a la barbarie.

Edgar Saba

Director
Centro Cultural
Pontificia Universidad Católica del Perú

INTRODUCCIÓN

Alonso Cueto

Una de las definiciones de la obra de Mario Vargas Llosa es que se trata de una meditación sobre el poder. Muchos de sus personajes (el Jaguar, el dictador Trujillo, el Conselheiro) no pueden existir sin ejercer el poder. Muchos otros (el Esclavo, el presidente Balaguer, el León de Nantuba) solo viven para someterse a él. En su visión de la historia, de América Latina y del ser humano, Vargas Llosa parte de las premisas del poder como una manera de explorar el alma de los hombres y el destino de las sociedades. Sus novelas parecen decirnos que nuestras identidades se revelan dependiendo de cómo reaccionemos frente a las tentaciones del poder y a las amenazas de los poderosos. La rebelión, la sumisión, el temor, el coraje, la lealtad y la traición son respuestas que sus personajes muestran desde o contra el poder. Al escribir algunas de las novelas más intensas de nuestro siglo, haciendo uso de un lenguaje original, de una violenta belleza que ha renovado el castellano, Vargas Llosa se ha aproximado a un gran tema contemporáneo: las respuestas de los hombres frente a las amenazas contra su libertad. Su obra pertenece al patrimonio de los peruanos y de la humanidad. Ningún otro autor contemporáneo se ha acercado de un modo tan implacable al origen de la maldad. Ninguno tampoco ha mostrado de un modo tan conmovedor los esfuerzos que hacen los hombres para resistir a los poderosos de todas las clases. Sus libros, traducidos a decenas de lenguas, y elogiados en el mundo entero, lo han convertido por eso en un clásico, es decir en un autor que ha cambiado nuestro modo de ver la vida, de entender la historia y de percibir el lenguaje.

* * *

Alonso Cueto (Lima, 1954) estudió literatura en la Universidad Católica del Perú y en la Universidad de Texas, en Austin. Ha escrito una docena de libros de narrativa, entre cuentos y novelas. *La hora azul* (2005, Premio Herralde) fue elegida por la Casa Editorial de Literatura Popular, de China, como la mejor novela del bienio 2004-2005 escrita en lengua castellana. Su última novela, *El susurro de la mujer ballena*, fue finalista del Premio Planeta-Casamérica en el año 2007.

UN PERIODISTA CIVIL Y DOCUMENTADO

Antonio Tabucchi

Podría parecer singular que un texto de homenaje a un escritor que considero uno de los mayores novelistas contemporáneos, en vez de detenerse en su densa y ya universalmente célebre obra narrativa, se detenga en una actividad que habitualmente suele considerarse «marginal»: la columna periodística, el reportaje, el artículo de opinión. En realidad, esa singularidad deja de serlo en el ámbito de las letras ibéricas e hispánicas en particular, donde desde siempre la «crónica» (el texto breve de observación, de reflexión política, de polémica) ha sido cultivada por escritores o pensadores de muy alto nivel. Una tradición que en el siglo XIX cuenta con nombres como los de Larra o Clarín o en el que acaba de terminar con un filósofo como Ortega y Gasset, o con figuras como Bergamín, Azorín o Unamuno. En Portugal, entre otras cosas, la «revolución» de la poesía moderna (aunque también de la estética y del sentimiento modernos) empieza precisamente con un artículo de 1912 publicado en una revista por Fernando Pessoa, «La nueva poesía portuguesa sociológicamente considerada». En lo que al mundo hispanoamericano se refiere, bastará con citar al «periodista» García Márquez, cronista en un pequeño periódico en esa época en la que era «un periodista feliz e indocumentado», como reza el título de uno de sus libros, vertiente de escritura que ciertamente no ha abandonado una vez alcanzada la celebridad. Pero son innumerables los escritores sudamericanos que junto a la novela, el cuento o el ensayo han cultivado con particular empeño la intervención más directa e inmediata en la prensa diaria. Así, los escritos «periodísticos» de Borges, publicados en los años treinta en revistas y periódicos como *Sur, El Hogar, La Prensa* y hasta en un diario sensacionalista y de masas como *Crítica*, están considerados por sus exégetas al mismo nivel que sus obras mayores. Es más, sus *Textos cautivos*, así como *Otras inquisiciones*, se ven casi como un hilo conductor para orientarse en el laberinto de este escritor de laberintos. Y no quisiera olvidar, entre otros muchos nombres que podría citar, al llorado y muy querido por mí Osvaldo Soriano.

En Italia, el escritor que más se ha servido del periodismo de este «hispánico modo», es decir, como vehículo de reflexión filosófica, antropológica, sociológica y estética, me parece que es el Pasolini de los gloriosos años del *Corriere della Sera*, con aquellos artículos, más tarde recogidos en volúmenes como *Escritos corsarios*, que no solo enseñaron a los italianos lo que significaba leer la realidad con ojos libres de prejuicios y de decálogos mentales de todo tipo, sino que fueron una bocanada de aire fresco en un periodismo generalmente tímido, cauto o en todo caso sustancialmente alineado con posiciones políticas determinadas. Hoy, en Italia, la situación ha cambiado, en el sentido de que algunos escritores «osan» abandonar el más tranquilo terreno de lo editorial para expresar sus ideas en la prensa diaria, si bien la principal actividad que les ocupa, la de hacer antologías para excluirse unos a otros, deja por lo general poco tiempo a los escritores más comprometidos para observar la realidad que les rodea. En todo caso, si por una parte se asiste a un progresivo abandono del antiguo concepto itálico de la literatura (ornamentada y con mayúsculas, coronada de aureola y laurel), por otro la contingente situación política italiana, que día a día está haciendo cada vez más exiguos los espacios donde la libre opinión puede ejercerse, no favorece ese «periodismo de autor» que Vargas Llosa ejerce en el más difundido periódico de lengua española o muchos escritores franceses o americanos en periódicos como *Le Monde* o *The New York Times*. Pero no es solo la concentración de medios en unas pocas manos lo que hace poco probable la libertad de opinión de los escritores en el periodismo italiano; una clase política celosa de su propia gestión de las ideas, sustancialmente recelosa con relación a la cultura y armada con una indestructible mentalidad funcionarial, tolera mal análisis divergentes y opiniones sin prejuicios, todo aquello, en resumidas cuentas, que se salga de la «línea» que las distintas formaciones políticas se han inventado.

La familiaridad con el periodismo de Mario Vargas Llosa viene de antiguo, y él mismo evoca sus orígenes en el prólogo a *El lenguaje de la pasión* (Madrid, 2000) que recoge buena parte de los artículos aparecidos en el periódico *El País* desde 1992 hasta hoy. Vargas Llosa confiesa haber descubierto «el reino del periodismo», que le ayuda a «sentirse inmerso en la vida de la calle y de su tiempo», cuando tenía catorce años en el diario *La Crónica*, de Lima. Generosas y explícitas son sus palabras dedicadas al periodismo, donde ha sido redactor, reportero, editorialista y columnista. «El periodismo ha sido la sombra de mi vocación literaria; la ha seguido, alimentado e impedido de alejarse de la realidad viva y actual, en un viaje puramente imaginario». Siempre me ha gustado la escritura de Vargas Llosa porque su sentido de la realidad ha sabido mantener siempre bajo control ese componente «mágico» que cuando en la literatura hispanoamericana se hace predominante corre el riesgo de caer en lo folclórico, el sabor seductor del bocado fácil para el lector de paladar poco exigente. Un sentido de la realidad, una curiosidad por la multiplicidad de lo real, que hacen de su obra literaria no solo una irresistible prueba de escritura sino también un testimonio imprescindible para comprender la multiculturalidad del continente sudamericano.

Siempre he considerado a Mario Vargas Llosa un escritor «comprometido». Pero no en el sentido de Sartre y mucho menos orgánico en el sentido de Gramsci, que es la vulgata con la que en el siglo XX se ha impuesto este vocablo, es decir, un escritor pasapalabra de una ideología o un partido político. Comprometido en un sentido más vasto, más noble, más propio de la naturaleza de un escritor, en ese sentido que nos ha enseñado el humanismo italiano: comprometido en comprender al Hombre, en criticar al Hombre, en observar al Hombre, con la convicción de que el Hombre es el mundo, de que el Hombre es el universo. Y el compromiso de Vargas Llosa, tan evidente y flagrante en sus primeros libros, como *La ciudad y los perros*, *La casa verde* o *Conversación en La Catedral*, que es un compromiso antes que nada humanístico, y por lo tanto ético y civil, jamás ha faltado en el resto de su obra. Tal vez pueda haber vivido desilusiones políticas, pueda haber pensado que determinadas convicciones ideológicas eran ilusiones juveniles (y por lo demás ha sabido decirlo explícitamente y con mucha franqueza), pero su fuerza civil y su pasión ética me parecen aún más fuertes y eficaces que antes. Allá donde una convicción estrictamente política, en determinados libros suyos, podía constituir ese componente de rigidez que el «mensaje» confiere necesariamente hasta a los libros más hermosos, la libertad de juicio personal, que depende únicamente de su libertad personal y que se respira en los textos de *El lenguaje de la pasión*, confiere a este libro una dimensión que va más allá del periodismo. En este sentido, me parece excesiva la modestia con la que el propio Mario define este libro como la «sombra de su vocación literaria». Más que una «sombra», estos artículos me parecen una estructura biológica, un andamio celular, en resumidas cuentas, si puedo usar una palabra sustraída a la ciencia de nuestros días, un genoma: el genoma de un escritor.

A menudo los libros son misteriosos, y muchas veces el misterio de los libros reside fuera de ellos. A menudo un libro tiene sus razones en otra parte, nosotros los escritores lo sabemos, y Mario sabe bien que una novela tiene su historia secreta en otra novela, fuera en todo caso de esa novela. Algo que no han entendido los críticos estructuralistas y formalistas, que creen que el texto termina donde acaba, aprisionando la libertad del texto en un análisis compuesto de rejillas en las que el texto es estrangulado o exprimido como un limón. Qué extraño: de ese exprimidor no ha salido zumo alguno. El texto ha seguido siendo opaco, sordo, mudo. Un libro nunca empieza en la primera página y nunca termina en la última. Un libro es un universo en expansión, pero ¿dónde está su Big Bang? ¿Dónde están sus razones? ¿Dónde vive un libro si no vive solo en sí mismo? Se lo preguntaba Drummond de Andrade en una poesía que es a la vez una declaración de poética interrogativa y perpleja (perpleja como lo son las declaraciones de poética de los grandes del siglo XX) y al mismo tiempo sutil y agudísima: *De que se forman nossos poemas? Onde? / Que sonho envenenado lhes responde, / se o poeta é um resentido, e o mais são nuvens?* (¿De qué se forman nuestros poemas? ¿Dónde? / ¿Qué sueño envenenado les responde, / si el poeta es un resentido, y lo demás son nubes?). Por el contrario, ciertas Sibilas de nuestros días, pequeños pontífices de la literatura que viven para dictar cánones y que son aclamados por las academias universales, estos modernos teólogos que recuerdan a esos anatomistas que esperan encontrar el alma al practicar la autopsia, han llenado el mundo, los periódicos, las bibliotecas con sus profecías y con sus teorías donde la incomprensión por la literatura y yo diría que hasta su desprecio por su más secreta linfa, por el alma de la escritura, ha alcanzado niveles preocupantes. Un escritor les responde. ¿Será pues un normal artículo periodístico o un microensayo de vibrante defensa de la literatura este texto titulado «Las profecías de Casandra»? (*El País*, 1996).

Con el garbo y la ironía que le son propios, pero con ese conocimiento del auténtico significado de la literatura que solo un escritor posee, Mario Vargas Llosa destruye con un artículo periodístico la prosopopeya expresada en los voluminosos ensayos de una de las Sibilas más poderosas de la actual teoría literaria, el profesor George Steiner. «El profesor Steiner acaba de anunciar, simultáneamente, la muerte de la literatura y la existencia de un libro suyo», observa Mario al principio de su artículo. Me parece una especificación necesaria para los luctuosos embajadores de la muerte de la literatura que nos persiguen implacablemente. Por lo demás, en el viejo continente, los necrófilos de la novela aparecen periódicamente, como la ciclotimia, aunque la época áurea de los funerales fueron los años sesenta. Precisamente en aquellos años, al otro lado del mundo, algunos jóvenes que se llamaban Mario Vargas Llosa, Gabriel García Márquez, Julio Cortázar,

Manuel Puig, Manuel Scorza y otros muchos dieron a conocer a una Europa en pleno luto literario algunas de las más hermosas novelas del siglo XX. Esos muchachos tan poco enterados no sabían que, entre tanto, la novela había muerto: eso es lo que se llama desoír los buenos consejos.

Pues bien, este artículo de apasionada defensa de la literatura, que sin serlo jamás explícitamente es en realidad un panegírico de la invención, de la creatividad, de la ficción, yo lo he leído como si fuera la «explicación» de un libro de Mario que siempre me ha fascinado, *La tía Julia y el escribidor*, el mayor himno a la felicidad creativa que la literatura de posguerra haya producido. Se me podría objetar que es natural que el escritor que en 1978 escribió esa novela haya escrito después en 1996 el artículo del que estoy hablando. Pero no estoy del todo seguro de que los tiempos internos del escritor y de la escritura pertenezcan al calendario gregoriano. Yo lo diría más bien así: en 1978 Mario escribió *La tía Julia* «porque» en 1996 habría de escribir este artículo destruyendo al profesor Steiner.

Y por la misma razón, comprendo «por qué» Mario escribió en 1962 *La ciudad y los perros* o en 1981 *La guerra del fin del mundo*: por la sencilla razón de que en 1996 habría de escribir «El viejito de los juanetes» o en 1997 «Un paseo por Hebrón», otros dos artículos para *El País*. El primero es, aparentemente, una simple reseña del diario de un autor, hoy nuevamente de moda en Francia, refinado y culto, que a la vez colaboró con los nazis y murió suicida, Drieu La Rochelle. Mario admira una de sus novelas, *El fuego fatuo*, que a mí también me gusta mucho, pero hablando de este *Diario de la guerra* se plantea una pregunta que va más allá de la literatura e indaga en sus más profundas razones: «¿Cómo congeniar ambas cosas? [...] Tal vez no haya respuesta aceptable para esa tremenda pregunta. Pero es indispensable formularla, una y otra vez, porque lo que es seguro es que las ideas —las palabras— no son irresponsables y gratuitas. Ellas generan acciones, modelan conductas y mueven, desde lejos, los brazos de los ejecutantes de cataclismos».

El segundo es prácticamente la crónica de un paseo por una ciudad palestina ocupada por los israelitas. Creo que las razones de un conflicto aún no resuelto y del que provienen muchos de los desastres que atormentan hoy al mundo resultan más fácilmente comprensibles por este «paseo» que mediante los complicados análisis de los politólogos (otra forma de Sibilas) que todos los días pretenden explicarnos el mundo.

Y muchas otras «razones» de su literatura podrían hallarse en los artículos periodísticos que a lo largo de los años noventa Mario ha escrito para *El País*. Para mí, italiano, la vena fascistoide (de ese fascismo inefable, categórico, que no pertenece estrictamente a la ideología histórica, pero que puede encarnarse en cualquier país y en cualquier época; en resumen, esa actitud de vulgaridad, de abusos, de arrogancia, de violencia que caracteriza a ciertos coroneles o caciques de sus novelas y que Mario capta inmediatamente en una frase de un ministro del primer gobierno de Berlusconi en 1994) es lo que explica Italia a los no italianos mejor que muchos analistas políticos que hoy en Europa se interrogan acerca de la identidad ideológica de Italia y de sus líderes: «El portavoz del Gobierno italiano, para responder a las críticas de la oposición que acusaban al primer ministro Berlusconi de actuar fuera del marco constitucional, exclamó indignado: "¿En qué país cree usted que vivimos? ¿En Bolivia?". [...] Reconociéndole todo el derecho del mundo a criticar las múltiples manifestaciones de barbarie que todavía aparecen por doquier en América Latina, afirmo que el portavoz del Gobierno italiano es un hombre desactualizado, que debería poner al día su información política, o una inteligencia asfixiada por estereotipos que la privan de lucidez».

Con sosiego, con el suficiente número de datos y de información en su mano, Mario demuestra que Bolivia es un país bastante mejor administrado que Italia: no tiene mafia, por supuesto, no conoce la corrupción italiana, parece tener instituciones más sólidas y una clase política más respetable que la italiana, dado que los personajes corruptos que la habían marcado en décadas pasadas cumplen las penas que la Justicia les ha aplicado por sus delitos. En Italia, como se sabe, quien tiene conflictos judiciales se refugia en el Parlamento.

Podría seguir por ese camino. Basta con artículos como los titulados «Nuevas inquisiciones» o «La erección permanente» para entender por qué Mario ha escrito *Los cuadernos de don Rigoberto*. Y la cosa no acabaría ahí. Pero no quisiera inducir a error: no hay nada de autorreferencial en los artículos de Mario Vargas Llosa, soy yo quien los está usando *a posteriori*, porque en ellos encuentro hoy las razones de sus libros de ayer. Al igual que en sus libros de ayer, y en los que sigue publicando hoy, encuentro siempre razones para comprender la realidad de hoy.

Una de estas realidades es por ejemplo la babel de jergas especializadas y literarias que caracteriza el lenguaje de nuestra sociedad occidental: una defensa corporativa a menudo enmascarada de pseudo tecnicismo que sirve sustancialmente para excluir al ciudadano de la participación social o política en determinado país. Pero otras jergas no se quedan atrás, y entre ellas ocupan un lugar excelso los lenguajes de la expresión artística contemporánea: lenguajes esotéricos y órficos que a menudo sirven de correa de transmisión tanto al artista como al crítico o al marchante para imponer en el mercado, no raramente a precios elevados, productos «artísticos» inconsistentes y efímeros, basados sobre todo en el mensaje escandaloso o provocativo que llevan implícito. Sobre esta tendencia del arte *trash-chic* que en los últimos años desde los Estados Unidos se ha ido difundiendo en Europa, promovida incluso por respetabilísimas y austeras instituciones como la Royal Academy of the Arts de Londres, Vargas Llosa escribe en 1997 un irresistible artículo titulado «Caca de elefante». En él describe la exaltadora exposición, en la galería de Mayfair, del joven artista británico Chris Ofili, cuyas obras están expuestas en pedestales de caca de elefante solidificada. Un «artista» que para regocijo de idiotas y de filisteos expone imágenes de la Virgen rodeadas de fotografías pornográficas. Desde Londres, el razonamiento de Vargas Llosa vuela hasta Venecia, sede de una de las ferias artísticas más conocidas en Europa. Vale la pena reproducir sus palabras: «Hace más o menos un mes visité, por cuarta vez en mi vida (pero esta será la última), la Bienal de Venecia. Estuve allí un par de horas y al salir advertí que ni a uno solo de los objetos que había visto le hubiera abierto las puertas de mi casa. El espectáculo era tan aburrido, farsesco y desolador como la exposición de la Royal Academy, pero multiplicado por cien y con decenas de países representados en la patética mojiganga, donde, bajo la coartada de la modernidad, el experimento, la búsqueda de "nuevos medios de expresión", en verdad se documentaba la terrible orfandad de ideas, de cultura artística, de destreza artesanal, de autenticidad e integridad que caracteriza a buena parte del quehacer plástico de nuestros días. Desde luego, hay excepciones. Pero no es nada fácil detectarlas».

No resulta raro que la expresión artística sea para Vargas Llosa pretexto para una reflexión social y política. Un buen ejemplo de ello es el artículo «La ciudad de los nidos» (1998), dedicado al festival de Salzburgo, donde ironiza, no sin razón, sobre el elegantísimo público de la *jet set* internacional que aplaude entusiasmado la puesta en escena, con criterios rigurosamente marxistas, del *Mahagonny* de Bertolt Brecht. Y Mario no desaprovecha la ocasión para estigmatizar severamente esa ideología que lo entusiasmó en época juvenil. Lo que resulta plausible. Menos convincente me parece la subsiguiente manifestación de simpatía por el mercado libre. El pensamiento de Mario es demasiado sólido para poder forjarse ilusiones de que la economía pueda sustituir egregiamente a las ideologías, como pretenden los teóricos del neolibelarismo, o creer que la trinidad Desregulación-Liberalización-Privatización pueda en todo caso sustituir a la *Liberté-Egalité-Fraternité*. Por lo demás, como ha observado cínicamente tras el 11 de septiembre el gran sociólogo alemán Ulrich Beck (a menudo los sociólogos pueden llegar a ser más cínicos que los economistas), «las imágenes del horror de Nueva York nos remiten un mensaje que aún no ha sido suficientemente aclarado: un Estado, un país, pueden neoliberalizarse a muerte» (*Le Monde*, 10/11/2001). Me atrevo a proponer la hipótesis de que para un pensador y un hombre de ideas como Vargas Llosa, sin iglesias y sin prejuicios, convencido defensor de la democracia política, del pluralismo y del Estado de derecho, una total adhesión al pensamiento neoliberal puede constituir una contradicción. Pero observo también que las contradicciones son inevitables componentes de un intelectual libre como él, del cual puede decirse evidentemente cuanto él mismo ha dicho magníficamente de Octavio Paz, esforzándose por comprenderlo, cuando, en desacuerdo con él, Paz manifestó su acercamiento hacia el viejo PRI mejicano. Es decir, que «la forma ideal de la imprescindible democratización de su país era la evolución y no la revolución».

Otros dos artículos de carácter político que me gustaría subrayar son «El *nasciturus*» y «El sexo débil», ambos de 1998. El primero es una argumentada defensa del aborto y una solemne reprimenda al Parlamento español que, por un voto, rechazó una mayor liberalización de la ley que en ese país es muy restrictiva al respecto (prevé, en efecto, solo los casos de violación, de malformación del feto y de peligro para la salud de la madre). Mario evoca una España católica, profunda y oscurantista, que organiza procesiones e intimidaciones a los parlamentarios, una España donde la Conferencia Episcopal publica un «tremebundo» documento titulado *Licencia aún más amplia para matar a los hijos*, leído por veinte mil párrocos durante la misa dominical. La defensa de un Estado laico, pues una supremacía confesional significa que «la democracia está amenazada, a corto o mediano plazo, en uno de sus atributos esenciales: el pluralismo, la coexistencia en su diversidad, el derecho a la diferencia y a la disidencia», es como oxígeno para un lector como yo, que vive en un país donde rara vez la prensa osa reivindicar el laicismo del Estado sancionado por nuestra constitución. A la defensa del Estado laico sigue una defensa de los derechos de la mujer que es reconfortante escuchar en boca de un escritor, pues con esa supremacía confesional, «sin llegar a los extremos talibanes, es seguro que la mujer retrocedería del lugar que ha conquistado en las sociedades libres a ese segundo plano, de apéndice, de hija de Eva, en que la Iglesia, institución machista si las hay, la ha tenido siempre confinada».

Otra cerrada defensa de los derechos de la mujer es el segundo artículo dedicado a las mujeres de Bangladesh que por una conjunción de «crueldad e imbecilidad, ignorancia y fanatismo» fueron desfiguradas con ácido sulfúrico por sus maridos, una nefanda práctica que al parecer es moneda corriente en esa joven nación. De estos actos bárbaros, Mario pasa al análisis de ciertas prácticas, no menos bárbaras, que en nombre de un presunto respeto hacia las civilizaciones tradicionales ciertos ideólogos extremistas de la «multiculturalidad» quisieran consentir en Occidente. Entre tales prácticas, la extirpación de los labios superiores de la vagina o la cauterización del clítoris difundida en África sobre todo entre la población musulmana (pero también entre la cristiana o la animista), que algunas comunidades de inmigrantes en Gran Bretaña pueden realizar libremente en los hospitales ingleses por la módica suma de cuarenta libras. Un proyecto de ley del Parlamento británico para criminalizar esta práctica ha dado lugar a un programa televisivo donde una dirigente somalí, en su impecable inglés y atrincherada tras el parapeto de una no mejor especificada «soberanía cultural», defendía la bárbara práctica con el argumento de que, una vez terminada la era del colonialismo, Occidente no puede imponer sus criterios a las demás culturas. En esta trampa sustancialmente demente han caído a menudo sociólogos y filósofos cuyo excesivo respeto por las culturas ajenas se debe quizás a un sentimiento histórico de culpa. No se dan cuenta de que todo es respetable en una cultura mientras no constituya una violación flagrante de los derechos humanos, es decir, de esa soberanía individual que ninguna categoría colectiva (religión, nación, tradición) puede arrogarse. No es raro que en el pensamiento occidental coexistan los dos extremos de la cuestión: si por una parte no duda en declarar (los ejemplos son numerosos, no solo de palabra sino también en la acción política y económica) su «superioridad» respecto a otras culturas, por otra en ocasiones no dudaría en retroceder siglos con este presunto respeto de lo que se considera cultura y no es más que barbarie.

Pero no podría terminar este breve vagabundeo mío por *El lenguaje de la pasión* de Mario sin detenerme en lo que es la verdadera pasión que anima todo el libro, toda la actividad de Mario periodista político, social, de opinión, viajero, antropólogo: la literatura. Porque para Mario la literatura es una forma de conocimiento de lo real, de modo que cualquier análisis del mundo que él nos proporciona está siempre sostenido, filtrado por el testimonio literario.

Pasolini, un escritor que me es muy querido, acuñó la expresión de la «amistad de las ideas». A esta añadiría yo la de la «amistad del gusto». Porque el gusto es algo menos cerebral, más visceral, más natural que las ideas, y cuando dos escritores aman a los mismos escritores, eso significa que entre ellos hay una profunda afinidad, que en el fondo es una forma de amistad. Los escritores que Mario y yo amamos más son Cervantes y Flaubert. Más allá de la gran estima que siento por sus novelas, cuando hace años leí su entusiasmo por estos dos escritores, recordé la frase del personaje de *Casablanca*, que Kusturica puso en boca de uno de los viejos gitanos de su película *Gato blanco, gato negro*: «Este es el principio de una larga amistad». En realidad, el nomadismo de Mario (y en parte el mío también, aunque no hayamos alcanzado todavía la respetable edad de los viejos gitanos de Kusturica) ha hecho que el tiempo pasara sin que la amistad del gusto se concretara en verdaderas charlas, encuentros, discusiones. Quisiera de todas formas reivindicar aquí esta amistad que en el plano de la asiduidad no ha podido ser, en el nombre de los escritores que en *El lenguaje de la pasión* Mario coloca en primer plano. Allí encuentro a «mis escritores»: Baudelaire y Guimarães Rosa, Pessoa y Naipaul, Ortega, García Márquez, Borges y muchos más. Pero quisiera concluir con un poeta, amado por ambos, al que tal vez no ha correspondido en el siglo XX ese lugar central que quizá le vedaran su vida esquiva y marginal, y una lengua que no está entre las más difundidas del planeta, el griego moderno. Se trata de Constantino Kavafis, al que Mario dedica un espléndido «medallón» al final de su libro, titulado «El alejandrino». Al celebrarlo, Mario teje un elogio del escritor lejano del poder, el escritor «agazapado», marginal, vagabundo, como quien gira en una órbita excéntrica y periférica: un escritor ciudadano del mundo, que pertenece solo a sus propias ideas, que no canta serenatas a nadie, un escritor apátrida y sin banderas, que prefiere el anonimato y la libertad interior a los reconocimientos y las condecoraciones: «Era un alejandrino singular y un hombre de la periferia, un griego de la diáspora que hizo por su patria cultural —la de su lengua y la de su antiquísima mitología— más que ningún otro escritor desde los tiempos clásicos. Pero ¿cómo podría ser adscrito, sin más, a la historia de la literatura griega moderna europea, este medio oriental tan identificado con los olores, los sabores, los mitos y el pasado de su tierra de exilio, esa encrucijada cultural y geográfica donde el Asia y el África se tocan y se confunden, así como se han confundido en ella todas las civilizaciones, razas y regiones mediterráneas?».

En la simpatía de Mario por esta figura reconozco mi propia simpatía por Mario. Y quizá sea esa la razón por la que he escrito cuanto he escrito.

* * *

Antonio Tabucchi (Pisa, 1943), catedrático de lengua y literatura portuguesa en la Universidad de Siena, es hoy uno de los escritores más reputados del mundo. Con *Sostiene Pereira* (1994), la historia de un periodista portugués bajo la dictadura, Tabucchi pasó a ser en los años noventa un escritor de fama europea, conocido y celebrado en los círculos intelectuales del viejo continente. De ser un escritor del domingo, como él mismo definió el carácter aleatorio de la escritura en su vida profesional, pasó a convertirse en uno de los permanentes candidatos al Premio Nobel. Otras obras destacables son *La mujer de Porto Pim* (1983), *Nocturno hindú* (1984), *Réquiem* (1993), *La cabeza perdida de Damasteno Monteiro* (1997), *Se está haciendo cada vez más tarde* (2002) y *Tristano muere* (2004). Autor de más de una docena de libros e innumerables relatos, artículos e intervenciones en diferentes foros, Tabucchi es un escritor comprometido con la sociedad de su tiempo. En Italia, su firma figura siempre a la cabeza de manifiestos y cartas en defensa de la democracia y la libertad.

EL ESCRIBA MARIO

Nélida Piñon

Hoy en día pocos escritores pueden reivindicar, como Mario Vargas Llosa, una experiencia intelectual tan variada y rica. Y, a pesar de ser asiduo protagonista de los escenarios internacionales, no ha renunciado a sus postulados latinoamericanos. En los casi cuarenta años de amistad que nos unen, nunca descubrí en él trazos de cinismo, de conciliaciones espúreas, esas heridas que la gloria y la sabiduría a veces arrastran consigo, como un virus invisible.

A lo largo de su extensa obra, Vargas Llosa se esfuerza por armonizar la saga del Perú de la segunda mitad del siglo XX. En sus libros recapitula la historia relativamente reciente de su país por medio de la resplandeciente memoria, que, conjugada con intenso ejercicio de la imaginación, le ha permitido construir variados géneros: desde la novela realista, picaresca, épica, hasta aquellas creaciones de acentuados matices biográficos que han emergido dictadas por su génesis personal. Unos recuerdos que, al servicio de su obra creativa, han intentado no herir el misterio del ejercicio inventivo.

Al hacer de su vida un producto literario, Mario Vargas Llosa se eclipsa y se aplica al mismo tiempo a la narración, y no limita la novela con deslumbramientos confesionales. Gracias a estos elementos autobiográficos, se reparte de forma ecuánime entre la voz narrativa autónoma y la propia. Mezcla, con maestría, intenciones biográficas con reminiscencias históricas, memorísticas, inventivas. Transforma lo real y lo somete a los dominios de la ficción, para construir, como consecuencia, un mundo con combinaciones estéticas independientes. Un universo que tiene su origen en la realidad de los hombres, al que vuelve su ficción para ganar sustancia y credibilidad.

Estas consideraciones tienen en mira la novela *El hablador*, publicada en 1987, meses antes de que el autor postulase a la presidencia del Perú, en medio de una campaña que lo llevó a cruzar el país presentando sus principios políticos. En este libro, un narrador, revestido por la figura de Mario, no tiene vergüenza de confesar que el Perú, su país de nacimiento, es su demonio personal. Es la figura transgresora del destino, encargada de preservarle el ímpetu creador y motivarlo a escribir. Sometido, por tanto, a esta pasión contradictoria, sombra fantasmagórica que lo persigue, Vargas Llosa vive el permanente estado de un deicida que lucha por asfixiar, o golpear, la soberanía peruana en la profundidad de los fundamentos de su imaginario.

Sin duda, este notable autor, en tanto se abastece de los pilares de la civilización occidental, se vincula de manera visceral al continente latinoamericano. Frecuenta una ficción embebida de extraordinaria reserva mística que se extiende del universo incaico al español, además de atender a las otras naciones indígenas de su país. Una ficción que, mediante notables contracciones culturales, engendra expresiones literarias y divagaciones mentales diversificadas.

La novela *El hablador* es prueba de este patrimonio. En ella, Mario Vargas Llosa, como un narrador revestido, de asumida primera persona, enrumba por un territorio perturbador, constituido al mismo tiempo de la refinada Florencia y de la interdicta región de los machiguengas, epicentro, estos últimos, del libro. En la piel del reputado escritor, oriundo de la clase media-alta blanca peruana, decide pasar dos meses en la bella ciudad renacentista, pronta a vaciarse con la llegada del verano, dejando al autor, como herencia, una soledad benefactora y escombros de recuerdos.

En esta Italia magnífica, telón de fondo al que se afilia por medio de claves culturales que le son familiares, el escritor y el personaje nos revelan el contenido de sus aspiraciones. Además de pretender, al menos por breve periodo de tiempo, olvidar el

Perú y naturalmente a los peruanos, entre los cuales se incluye de manera implacable, ambiciona perfeccionar el italiano a través de la sistemática lectura de Dante y Maquiavelo en su idioma original. Ambos maestros ofrecen rastros simbólicos que regulan el estado de espíritu de aquel Mario narrador. Un Mario que, reverenciando las reglas formuladas por la civilización occidental, busca refugio intelectual en Dante y Maquiavelo. Quién sabe si, como pensador político, el personaje Mario había agudizado el instrumental proveniente del ejercicio del poder, viendo de cerca qué comportamiento asumían los hombres cuando eran confrontados con mentes e intereses antagónicos a los suyos. Vargas Llosa, en una visión anticipadora, estaba listo para utilizar este aprendizaje en su disputa por el poder.

Además de confirmarle la vorágine creadora, asociada a una cosmogonía fecunda e inagotable, tal vez Dante le explicase la naturaleza del destierro, que, por razones políticas, él mismo sufriera en el lejano siglo XII, contrario al exilio voluntario que Vargas Llosa padeciera en aquella Europa a la cual arribó con las escasas experiencias de un peruano. En este privilegiado paisaje urbano, elevado a la categoría del viajante que vegeta con opulencia la cercanía de las peripecias humanas, él medita sobre la civilización a la cual pertenece. Disfruta del confort de vivir gratas y gozosas crisis, sin riesgos de un desmoronamiento psíquico. Entonces, en aquella Florencia lentamente abandonada por sus habitantes, le sobreviene de repente, como regio regalo, la silueta de una narrativa aún incipiente. Y es urgido por el pulso oscilante y dramático de una inminente invención literaria.

Los acontecimientos son casuales. Al deambular por la ciudad, atraído por una foto en la vitrina, entra en la galería de arte, en cuyas paredes descubre otras fotografías de un italiano, de nombre Malfatti. Este fotógrafo, en visita al Perú, registró con su cámara el corazón profundo de aquel país. Ante la simple visión de estas fotos, el escritor, como si hubiese sumergido las prosaicas *madeleines* de Proust en la taza de té, traspasa las fronteras de los sentidos y redimensiona el tiempo perdido. Los propósitos que tuviera de apagar los vestigios peruanos, en defensa del cotidiano florentino, no resisten el impacto de la realidad. Acometido por continuas inquietudes, sucumbe a las demandas de la distante América. Abandona el mundo ordenado de Dante y Maquiavelo para sumergirse, en cambio, en la turbulencia de la selva amazónica que lo espera.

Seducido por el clamor de la grey peruana, el Mario europeo otra vez deja de existir. La síntesis perfecta, creada con el empeño de apaciguar su espíritu, se rompe definitivamente. Y, como Walter Benjamin en París, aunque sigue caminando ociosamente algunos días más por una Florencia casi desértica, ya no está a salvo de los desastres de su país. De nada le vale usufructuar las excelencias de la ciudad-museo si, condenado inexorablemente a un destino latinoamericano, está dispuesto a volverse de nuevo el narrador, el demiurgo, el chamán, dispuesto a cumplir un oficio que le permitió, desde la infancia, recorrer la magia del corazón verbal, un reducto donde reside su fuerza creadora.

El hablador es una novela esclarecedora. El narrador Mario refuerza en ella sus confesiones mediante la voz que revela lo que está por hacer en aquel fulgor renacentista, sin esconder las angustias relativas al Perú, o declarar los motivos de su enfado con la patria. Es una novela construida por un narrador que, presentándose como escritor, es tan personaje como los demás que transitan por el libro. Tiene la singularidad, sin embargo, de que este Mario narrador y el autor del libro forman una única entidad, hecho que celebra la existencia simultánea de dos Marios que firman con el mismo nombre y cohabitan bajo el mismo techo narrativo.

Aquí nos encontramos frente a quien acumula una doble función: un autor que se ocupa de la compleja estructura novelesca y un personaje que cela por sus intereses narrativos. Una persona, al fin, que revestida de tantas máscaras consolida así sus juegos narrativos. Un narrador que, si bien está al margen de la historia, y prueba de esta aseveración es su nombre en la carátula, insinúa al lector que él posee una conciencia previa al inicio del libro, y que está emocionalmente distante del transcurso de esa ficción, orgulloso de ostentar la genuina voluntad creadora que lo acomete desde el comienzo de su vocación literaria. Es por eso que está habilitado para contar una historia que desde hace mucho corresponde a aquella que él mismo sufrió en la vida real, antes de presentarle al lector a aquel hablador peruano, oriundo de la tribu machiguenga.

El rol de Mario Vargas Llosa en este libro es singular. Arma la trama conociendo de antemano lo que el Mario narrador pretende no saber. En contrapartida, este Mario narrador, dentro de la moldura de ficción, usa con frecuencia el ocultamiento de personalidad. Alimenta la indulgencia del lector por medio de la figura literaria conocida como anagnórisis, para que cada personaje, mediante esta forma para crear falsas expectativas, camufle sus respectivas verdades.

Con este propósito, él es el primero en disimular. Desde el inicio de su recuento, por una información sugerida por un matrimonio americano que vivía en el campamento indígena, sabía que Saúl, personaje central, podría ser el hablador de los machiguengas. Y, asimismo, el Mario narrador demuestra sorpresa e inocencia al fijarse, en Florencia, en la foto en que se destaca la figura menuda y desteñida del amigo desaparecido hace tantos años. El propio Saúl, en Lima, en el distante año de 1958, cuando el Mario narrador y él se despiden para siempre, oculta al amigo sus proyectos referentes al futuro. Llega a simular un viaje a Israel, solo con la intención de borrar por completo su rastro. Estas continuas ocultaciones de personalidad, que permiten al Mario narrador montar un curioso rompecabezas, colocan bajo sospecha a las criaturas de su ficción, todas empeñadas en mantener el tema del hablador bajo el beneplácito del tabú.

La situación de este Mario, agente dentro y fuera de la historia, genera conflictos. Además de provocar un dilema autoral y desconfianza en cuanto a su credibilidad narrativa, nos lleva igualmente a indagar sobre la conducción de la historia, los métodos que elige en sus recursos narrativos. Nos induce a averiguar quién expulsa las partes inconvenientes, quién cuenta lo que le apetece, quién simula saber, quién asegura el protagonismo y hace que los personajes salgan a escena. Este hábil ejercicio de poder, por parte de Mario Vargas Llosa, infiltra el texto con artimañas y artificios. Nos impone, como consecuencia, la convivencia con un autor que, desde su posición de observador, se fortalece por medio de la pericia con que sitúa la trama narrativa sobre el tablado libresco.

La historia de Saúl, de Mario, del Perú, de los machiguengas, es contada a partir de la conmoción que sufre el Mario europeo después de la visita a la galería. Ante la simple visión de la foto de los machiguengas, brotan intrigas hace mucho enterradas. Le devuelve rápidamente la figura de Saúl Zuratas y los episodios que creía haber olvidado, cuando ambos, todavía jóvenes, vivían en el Perú, entre los años 1953 y 1958.

Tejida por medio de episodios dispersos, sin secuencia cronológica, la historia se desarrolla mediante la información proporcionada por el Mario narrador, después de retirar de la escena al fotógrafo Malfatti, cuando él, todavía en Florencia, por comodidad narrativa, le providenció una muerte oportuna, librándose con esto de la obligación de recoger e incorporar a su relato a aquel testigo sobre la historia reciente de los machiguengas. De escasa trama narrativa, la historia procesa el material que la memoria del Mario narrador había recogido en aquellos años. Sin perder el ánimo, desmenuza, con astucia y frugalidad, la realidad social, los escondrijos del espíritu del Mario narrador y de Saúl, molduras esenciales del drama machiguenga al que ambos se acercan.

Es el Mario narrador, quien, forzado por la memoria que lo guió hasta Florencia, compagina la realidad ficcional con el cotidiano de la década del cincuenta. Como narrador omnisciente, que se agita a su criterio, él retrocede al año 1953, cuando Mario y Saúl son estudiantes de la Universidad Nacional Mayor de San Marcos, trasfondo de airadas luchas políticas. Confrontados con un Perú recién democratizado, después de la larga dictadura del general Odría, los dos amigos, todavía con esperanzas, se encontraban en bares modestos para repartir ideas y ansiedades. Se exaltaban con un Perú que todavía mantenía dentro de sus fronteras, reclusos y en estado primitivo, a los indios de la tribu machiguenga.

A lo largo de treinta y dos años, después de iniciar un periplo internacional que lo mantendría en Europa por largas décadas, Mario Vargas Llosa y Mario personaje recorren geografías como la mística Cusco, antigua capital del imperio inca, la tropical Piura y la exuberante Amazonía, escenarios indispensables de su relato. Esta ruptura, a pesar de los años, no apaga los recuerdos del Mario narrador de aquel periodo. Él conserva de Saúl, cuya desdicha lo había conmovido siempre, un retrato esbozado con trazos fuertes y emocionantes. Realza en el amigo, además de la fidelidad a sus causas, el lunar púrpura que le desfiguraba el rostro, una mancha repulsiva que lo había estigmatizado desde el nacimiento, hasta el punto de inspirar repudio y espanto generalizados, y que se vuelve, a lo largo de la narrativa, un apodo identificador de su personalidad. Con todo, después de superar el malestar inicial que el amigo le había provocado, Mario aprecia su compañía. Le atribuye coraje y virtudes raras, y reconoce en Saúl la figura emblemática en torno de la cual el relato debería gravitar. Es su poderoso impulso de narrador el que determina asociar los machiguengas con este limeño, de origen judío, para construir de esta forma una historia elocuente y conmovedora.

La historia de Saúl y de los machiguengas incorpora ficción y realidad. Funde contradicciones culturales, que pautan las evaluaciones sobre los machiguengas y el universo blanco, siempre dominador. Deja aflorar y colisionar prejuicios y paradigmas sobre cuestiones pertinentes a la civilización y a la vida primitiva. A través de esta alternancia cultural, que favorece una densa concentración de misterio, se debaten entre sí dos categorías de personajes. En primer lugar, aquellos que, circunscritos a la moldura novelesca, se rinden incondicionalmente al fabulario del Mario narrador y aceptan vivir de acuerdo a las leyes de ficción que provenían de su imaginación creativa. Esta es una afiliación a la que pertenecen Saúl, el personaje Mario, los machiguengas, todos al servicio de una fe irreductible que bordea lo sagrado, fuente primordial de la narrativa. Y, en segundo lugar, aquellos otros que, bajo el comando del estricto racionamiento científico, de una racionalidad asociada a las nociones que preservaban de la civilización, rechazan las manifestaciones subordinadas al ámbito de las creencias y las pasiones. A este grupo se integran los lingüistas, los etnólogos, los esposos norteamericanos que, a pesar de vivir en la selva, a la sombra de la investigación centrada en los machiguengas, rehúsan las idiosincrasias, extrapolaciones originarias de una cultura que, de haber sido examinada con ahínco, juzgan inferior.

Pero, ¿qué especie de ficción y de artimañas este Mario, contumaz contador de la historia, disemina entre los lectores? ¿Será la ficción que apuesta todas las cartas en la existencia de un hablador entre los machiguengas? ¿Y que se alimenta de los crédulos, de los que están convencidos de la existencia de un hablador que recorre las tierras machiguengas con la finalidad de cumplir el deber moral de narrar? ¿En oposición frontal a los dueños del progreso científico, a los teólogos, a los que, conducidos por la verdad racional, insisten en refutar la porción sagrada y mágica de la sociedad humana?

La descreencia de estos personajes, por tanto, es providencial para retrasar el desenlace del enredo: la revelación final de que Saúl y el hablador son una sola persona. Son ellos, pues, los que desvinculados de la trama novelesca se eximen de tomar parte en el debate esencial del libro, descartando, desde el inicio, la imaginación corrosiva e iconoclasta, como causa de desequilibrio social, de amenaza a las verdades constituidas. De algún modo creen en la fuerza persuasiva de la ficción que el Mario narrador, apoyado en abstracciones poéticas, erige como versión posible de la realidad y defiende con ánimo de artista.

Para realzar estos conflictos y pormenores, Mario, artífice de la memoria, enriquece su narrativa creando, de repente, una voz autónoma, en contrapunto con la suya. Esta voz, atribuida al hablador, se dirige en plena selva a un círculo de machiguengas reunido para oírlo. La estrategia del Mario narrador es deliberada. Tiene como objetivo que esta voz, que llega sin aviso, hable a los machiguengas sin su intermediación, y que su timbre, audible y duradero, se presente al auditorio indígena como si Mario no la oyese. Por tanto, cuando el hablador se dirige a la tribu, este Mario debe sustentar que no está presente.

Esta voz gana de inmediato corpus narrativo. Asume una primera persona tan poderosa como la del Mario narrador, una autoridad que convence a todos de que está siendo oída únicamente por los miembros de la tribu. Delante de los machiguengas, este hablador pasa revista a la complejidad de una cultura de matriz colectiva y densamente simbólica que, gracias a esta narración oral, perdura hace siglos. A lo largo de extensos capítulos, pasa por la cosmogonía y las creencias religiosas de la tribu. Les menciona los dioses, lo cotidiano, la visión poética que guardan de la realidad. Deja surgir, con sentido catártico, el inconsciente colectivo, como una práctica reguladora adoptada por aquel pueblo.

Contada por él mismo, la historia de este hablador machiguenga se intensifica por medio de subterfugios, típicos de una tercera persona que le permite narrar episodios en que está ausente, de forma que él se convierte en un aparato vocal prestado a la colectividad, para que ella pueda hablar. Esta otra, al hablar con los machiguengas, se manifiesta por medio de textos poéticos, casi automáticos, sin riguroso orden lógico, insertados en la estructura mental de la tribu, y que el Mario narrador se vale de conocer.

La alta concentración simbólica del discurso no es inmediatamente perceptible. Hasta descubrirnos que se trata de un relato legendario, de una reescritura mística de la tribu y que este hablador se encuentra, de hecho, preparado para registrar cada etapa del recorrido de los machiguengas, sin olvidarse de consignar que, desde el origen de la tribu, los dioses y los espíritus malignos predisponen corrección y castigo para las transgresiones humanas. Con todo, aquel hablador machiguenga dependía de su condición de errante para mantener encendido el ánimo de los oyentes. Y, mientras la tribu ignoraba su recorrido y cuándo iría a verlos, cada cual iba acumulando intrigas e informaciones, suponiendo que un día le serían transmitidas para desempeñar el papel de discretos contadores de historias.

El hablador, sin embargo, era el único que disponía de la clave para sintetizar el drama humano. Mediante este poder, condensaba y filtraba las conversaciones provenientes del cotidiano místico y simbólico. De esta forma, permitía que continuasen libres y nómades y que, a pesar de que los machiguengas no contasen con un lugar fijo de residencia, se sintiesen unidos unos a otros gracias a aquellos relatos. De este modo, donde estuviesen, por la fuerza del conjunto de creencias que el hablador les transmitía, seguían siendo lo que siempre fueron.

La llegada del hablador a la aldea era festejada. Y aunque no fuese chamán, guerrero o jefe, su presencia entre ellos suspendía las actividades cotidianas. Sentado en el piso, al centro de un escampado, como revelaba la foto de Malfatti, se reunían a su alrededor ansiosos por oírlo. En aquella posición, cumpliendo rigurosamente la ceremonia consagrada por tradición milenaria, el hablador solicitaba atención incondicional. Y para administrar mejor su imaginación, él se convertía en el teatro vivo de la comunidad. Ponía en escena sus vidas para que los machiguengas se viesen a través de su aparato de representación. Solo así el hablador encarnaría sus quimeras y fabulaciones. Y sería la síntesis de aquella tribu.

Como consecuencia de la continua peregrinación, su discurso se impregnaba de la experiencia de la comunidad, se robustecía por los designios de todos. Finalmente, ¿quién, si no él, había estado en todas partes, visitando cabañas, campamentos, enriqueciendo el repertorio del narrador? ¿Quién, aun sin detenerse, había recogido de cada machiguenga íntimos recuerdos y por eso mantenido vivas las ficciones de la tribu, reforzando la memoria acumulativa?

Al dar inicio a la narración, que bien podía tardar hasta diez horas, sus historias, aprobadas por la mirada curiosa de todos, se convertían en la invención que les faltaba. Aquellos machiguengas, embebidos de su flujo narrativo, seguían atentos a lo que formaba parte de su gesta, de su psicología. Intuían, ciertamente, que aquel verbo procedía de un saber colectivo, de un aprendizaje aprobado por los años. En aquella figura, inquieta y sabia, la tribu divisaba la omnisciencia narrativa, como si aquel hombre, habiendo estado en tantos lugares, no descuidara los detalles del alma machiguenga. Él ejercía el don de la oratoria, confiado en que cada historia, además de garantizarle la función, le asegurara la propia vida.

Saúl heredaría la ciencia de la narrativa de los antecesores de la tribu. Y, en cuanto narraba, se iba redimiendo de las humillaciones infligidas en Lima, cuando lo privaron del amor. Entre los machiguengas, sin embargo, ganaba razón de vivir y encontraba la tierra prometida. Arrebatado, reproducía, por medio de símbolos, la diáspora del pueblo de Judá, tan errante como él, al cual pertenecía. A la luz del cristianismo, explicaba enfáticamente la venida de Jesús al mundo, sus milagros, la multiplicación de los peces y las yucas, a guisa del pan eucarístico. Bajo el impacto de la fantasía creciente, se refería a la inauguración de un mundo inventado por un dios próximo a ellos, procurando siempre establecer estructuras de aproximación entre mitos indígenas y occidentales. Al elaborar semejantes relatos, Saúl intentaba interpretar con exactitud las reglas básicas del repertorio machiguenga. Como si supiese, de antemano, la naturalidad con que aquel pueblo acataba inserciones distantes y contradictorias.

Para ellos, la figura del hablador encarnaba el propio espíritu de la narrativa, por tanto, de la única vida posible. Se trata de un oficio que gozaba de tal trascendencia que, cuando Tasurinchi, antiguo hablador, pasó a Saúl las pautas que creía esenciales, le dijo: «Es un aviso que debes aceptar o rechazar. [...] Si yo fuera tú, no lo rechazaría. Cada hombre tiene su obligación, pues. ¿Para qué andamos? Para que haya luz y calor, para que todo esté tranquilo. Ese es el orden del mundo». Con estas palabras, Tasurinchi lo consagra caballero y autoriza al nuevo hablador a contar historias, aunque para ello debiera sacrificarse. El precio de representar a aquella especie era abandonar, como en el caso de Saúl, la civilización, y recuperar lo que para él estaba perdido: su condición humana.

La voz del Mario narrador, dando lugar al Saúl hablador, empalidece sabiamente, consciente de que él, hasta el epílogo, debe desenvolver para los machiguengas su aventura narrativa. Pero Mario actúa como si no hubiese oído su declaración, aquel exacto momento en que Saúl hace el precioso relato de su adolorido aprendizaje y nos introduce al lorito, de apodo Mascarita, su compañero de jornada. La simple mención del pájaro probaba las sospechas de Mario de que Saúl era el hablador. Este mismo Mario registra a tiempo el problema causado por Saúl, cuya excesiva autonomía amenazaba con herir su autoridad de narrador, para luego reintegrarse al ejercicio de sus funciones, resguardando aquella soberanía que le permite declarar en cierto momento: «He decidido que el hablador de la fotografía de Malfatti sea él».

Estos dos recuentos, sujetos a la perspectiva del hablador Mario y de «Mascarita» Saúl, operan en igualdad de condiciones y con el mismo propósito. Ambos se enfrentan dialécticamente, guardando el vínculo con su respectivo mundo. Y, por designio de sus circunstancias y culturas, se remontan a los respectivos orígenes, de forma que, hermanados por la obsesión de narrar, hagan converger para el Perú antropológico, español, limeño, moderno, su imaginario.

En un principio, esta novela es la historia de dos jóvenes estudiantes en la Lima de la década del cincuenta atraídos por la cuestión machiguenga. Y, para Mario Vargas Llosa, un caso de amor, como consecuencia de sus viajes por la región en que vivía aquella comunidad arcaica, prácticamente en la Edad de Piedra. El descubrimiento de esta tribu, expulsada por los incas de la parte oriental, refugiada más tarde en otro punto del Perú, le llama realmente la atención, sobre todo al averiguar que había entre estos indios la figura del hablador. Y esto le provoca una emoción superior a la que el amor le había proporcionado hasta entonces.

Se identifica con estos primitivos, peruanos como él. No consigue olvidarlos en aquellos años. Le estimulaba saber la existencia en el Perú de aquel hablador, idéntico a él. Alguien que, asociado a un universo primitivo, sin ninguna señal de escritura, se dedicaba a la ficción y que, a pesar de las rudimentarias condiciones de vida, cumplía su tarea yendo de visita a los machiguengas, irremediablemente apasionados por lo que había de mágico y místico en su cotidiano. Un pueblo que, incapaz de establecer la frontera entre lo real y la imaginación, delegaba al hablador de la tribu el acto de responder por universos tan disparejos como aquellos.

A partir de esta aproximación, la novela se transforma lentamente en la metáfora del propio arte narrativo y en la historia de los mitos engendrados a lo largo de las carencias humanas. Nos revela que, al hacer de este hablador una motivación novelesca, Mario Vargas Llosa está hablando de la pasión que él mismo profesa a los seres entregados a la tarea de narrar historias, a los que creen que se trata de una narrativa guardiana de la memoria. Nos habla de su estima por los que mantienen viva la eficaz propagación de los relatos, la llama inextinguible del ingenio narrativo.

Es, igualmente, una reflexión sobre la poética de Mario Vargas Llosa, de su arte de narrar. Acompañamos el retrato del artista cuando es joven y su sólida madurez, y vemos la rendición incondicional a la escritura que lleva consigo la seducción por las palabras y por la aventura. Cómo, travestido él de personaje, se rinde al acto de aprender, cada día, su guión narrativo, sea como autor de una vasta obra o como hablador. Se ocupa de descubrir el motor, la función, los límites de la narrativa, la última razón por la cual los hombres, alrededor del fuego, o en las dunas del desierto, optan por contar a atentos oyentes sus relatos ciertamente inverosímiles. El carácter de seducción de las historias, cuyas tramas constituyen ilusión y desconsuelo.

Se trata de un acto eterno que, entrelazando memoria e invención, mnemotécnica y Orfeo, provoca una revelación. Permite que un hombre como Saúl, exilado de la historia de su país, gane la patria de la palabra, después de renunciar para siempre a la civilización que le canceló el verbo. Y sufre, por consiguiente, una conversión de carácter radical, que lo atrae a la tierra de los machiguengas, en busca de su Grial. Juntos, Mario y Saúl viven la travesía del héroe. Forajidos de una realidad limitadora, que les quiere anular los proyectos de la imaginación, son puestos a prueba. Necesitan justificar su adherencia a la narrativa. Y esta transformación les concede, al final, el sentido de la vida. Mascarita atravesó y venció el infierno. Mario, personaje y autor, aborda la metáfora de los machiguengas para auscultar los caminos densos de la creación literaria, el acto perturbador de convertir la realidad en la ficción de la que forma parte. De un arte que, audaz y desmedido, impulsa a estos dos peruanos a vivirlo de forma apasionada.

Esta metáfora, tan esencial a su conciencia de escritor, le lleva a otorgar, en este libro, un arrebatado tributo a Saúl y a la tribu machiguenga. A expresar su fervor por un pueblo que, durante siglos, con el acto de narrar, de impedir la extinción de su especie, preservó el código secreto y creativo de una lengua. De unos seres que, inmersos en la floresta, reverenciaban las intrigas, las trampas de la realidad, de forma idéntica a la que este gran maestro viene haciendo en sus magníficas obras. Leyenda mayor de nuestro continente, Mario Vargas Llosa presta en *El hablador* un amoroso vasallaje a sus antecesores en el espléndido arte de contar historias, de liberar la imaginación humana de la cárcel de lo cotidiano.

* * *

NÉLIDA PIÑON (Río de Janeiro, 1937) debutó como novelista en 1961 con *Guía-mapa de Gabriel Arcanjo* y, desde entonces, ha publicado más de una docena de títulos, que han sido traducidos a varios idiomas. Su obra *La república de los sueños* fue galardonada con el Premio PEN Club y considerada por la Asociación de Críticos de Arte como la mejor novela de 1985. *Dulce canción de Caetana*, editada en Brasil en 1987, recibió el Premio UBE por la mejor novela de ese año. Su más reciente entrega es *Voces del desierto* (2004). En 1995 le fue otorgado el Premio Literario Latinoamericano Juan Rulfo, porque, según los miembros del jurado, se trata de «una de las figuras que se destacan, con mayor intensidad, en las letras latinoamericanas contemporáneas». En el año 2005 fue galardonada con el Premio Príncipe de Asturias de las Letras. Se define a sí misma como una escritora de veinticuatro horas al día.

HISTORIA DE PARRICIDIOS

Enrique Krauze

«No hay límites para el deterioro, siempre puede estar peor». Las palabras de Alejandro Mayta, el guerrillero desencantado de la novela de Mario Vargas Llosa que, curado de fantasmas pero vacío de ilusiones, vuelve luego de muchos años a su lugar de origen, venían a mi mente en aquellos días de marzo de 1990. Regresaba a Lima para participar en el encuentro de escritores e intelectuales *La cultura de la libertad*, con el que Vargas Llosa entraba a la fase final de su campaña presidencial. Me impresionó el ejército de pordioseros infantiles en cada bocacalle de una capital que apenas once años atrás parecía aún digna y señorial. Conocía las cifras espeluznantes del legado populista en el Perú: reservas casi nulas, virtual bancarrota, caída del 15% en el PIB, inflaciones de cuatro dígitos. Los apagones y el sabotaje, los secuestros y asesinatos se habían vuelto noticia cotidiana. Sobre todas las cosas aterraba la presencia ubicua de Sendero Luminoso, el grupo guerrillero frente a cuyo nihilismo despiadado los poseídos de Dostoyevski quedaban relegados a personajes de telenovela rosa.

Y sin embargo, el signo de aquellos días era la esperanza. Acababa de pasar el *annus mirabilis* de 1989, presagio, diría entonces Vargas Llosa, «de una humanidad sin guerras, sin bloques» enlazada por «el denominador común de la democracia y la libertad». Más modestos en apariencia, pero no menos significativos, eran los cambios recientes en América Latina: el fin de la guerra civil en El Salvador, los comicios libres en Nicaragua, el desprestigio general del militarismo, el advenimiento pleno de la democracia en casi todo el continente salvo Cuba, Haití y, claro, el régimen mexicano al que Mario Vargas Llosa, meses más tarde, hirió de muerte con una sola frase: «La dictadura perfecta». En una charla de sobremesa refirió animadamente sus planes de gobierno: «Ahora los países pueden, por primera vez, elegir la riqueza. [...] Allí está el ejemplo de las economías exportadoras de Oriente, que hace tres décadas eran más pobres que el Perú. [...] Hay que privatizar los teléfonos, las aerovías, los bancos, las cooperativas agrarias, apoyar a los "informales" en la economía citadina y a los "parceleros" en el campo, [...] hay que organizar a la sociedad civil en rondas de autodefensa, [...] hay que limpiar el gigantesco basural de la palabrería populista».

Vargas Llosa proponía el retiro, por parte del Estado, de zonas improductivas y corruptas de intervención en favor de una concentración mayor en aspectos básicos como educación, seguridad, salud, justicia y fomento a la cultura, todo en un marco de tolerancia a las libertades políticas. Buscaba implantar, en suma, el modelo actual y vigente de modernización. Era el momento de hacerlo, un momento plástico en que todo parecía posible. Y no solo sus invitados compartíamos el entusiasmo por el «gran cambio» que anunciaban los espectaculares de las avenidas y los incesantes mensajes de televisión. «Es nuestra última esperanza —comentó un taxista—, es nuestra salvación».

Había, en efecto, un leve toque mesiánico en los actos y los discursos, y no era para menos. Perdida la fe religiosa en su juventud temprana, Vargas Llosa necesitaba quizá un residuo de esa fe para embarcarse en una aventura así, con peligro para su vida y la de su familia. Su discurso de clausura reveló más bien una resignación estoica: «En el extraño trance en que me encuentro, [...] me digo con cierta melancolía que en los destinos individuales influyen también las circunstancias y el azar acaso tanto como la voluntad de quien los encarna. Igual que la historia de las sociedades, la de los individuos no está escrita con anticipación. Hay que escribirla a diario, sin abdicar de nuestro derecho a elegir, pero sabiendo que a menudo nuestra elección no puede hacer otra cosa que convalidar, si es posible con ética y lucidez, lo que ya eligieron para uno las circunstancias y los otros. No lo lamento ni lo celebro: la vida es así y hay que vivirla, acatándola en todo lo que tiene de aventura terrible y exaltante».

Extrañaba la vida literaria, las novelas que había pospuesto, la anónima paz de las bibliotecas. Y extrañaba todo ello con perplejidad, porque él mismo se había vuelto un personaje de novela, de una vertiginosa novela que solo parcialmente podía controlar. Al mismo tiempo, contradictoriamente, disfrutaba la aventura porque lo aproximaba al ejemplo de Malraux, a su alianza creativa entre acción y pensamiento. Pero en su caso la acción tenía un designio particular. El literato, acostumbrado —según ha escrito repetidamente— a convocar a sus fantasmas para exorcizarlos, para someterlos al orden de su fantasía, se proponía ahora exorcizar a los demonios del Perú, no en la página en blanco de su obra, sino en la arena impredecible de la historia. Buscaba remediar los males históricos del poder... desde el poder. Sus amigos partimos de Lima con la confianza en su triunfo, pero la famosa frase de Max Weber rondaba en el aire: «Quien busca la salvación de su alma y la de los demás, que no la busque por el camino de la política, cuyas tareas, que son muy otras, solo pueden ser cumplidas mediante la fuerza».

No solo los otros y el destino lo sometían a esa prueba: también su propia biografía intelectual. Ser escritor en Latinoamérica ha implicado siempre asumir un imperativo de conciencia política. Para los intelectuales latinoamericanos, como para los rusos del siglo XIX o los disidentes polacos o checos durante la Guerra Fría, esquivar la gravitación de la política es una forma de la irresponsabilidad, la banalidad o el autismo. Por eso caló en estos países la figura de Sartre y su doctrina del intelectual «comprometido». Con el tiempo, tanto Sartre como sus émulos en Europa y América vendieron ese compromiso por el plato de lentejas de una ideología cerrada, pero la actitud había dejado huella. Al abandonar las premisas marxistas (en un proceso de desencanto paulatino que culminó a mediados de los años setenta),

Vargas Llosa persistió en su postura «comprometida», llenándola de otros contenidos, ya no orientados a la revolución social igualitaria, sino en la rebeldía individual libertaria. Por eso revaloró la obra de Camus y descubrió —tarde quizá, aunque no demasiado— a los clásicos del pensamiento político liberal del siglo XX, que no solo lo convencieron sino lo convirtieron: Isaiah Berlin y Karl Popper. Octavio Paz decía que Vargas Llosa tenía la pasión del converso. En todo caso, era una pasión que compartía con el propio Paz, quien en su juventud también había sido un socialista fervoroso y solo hasta 1974 —leyendo a Solzhenitsyn y Mandelstam— terminó su propio proceso de autocrítica. La genealogía intelectual de Vargas Llosa no dictó, por supuesto, la vertiente social, histórica, política en la obra de Vargas Llosa, pero acompañó su trayectoria como un telón moral de fondo.

Cuando lo conocí en Lima, en marzo de 1979, la política parecía un poco alejada de su horizonte. Los militares dejaban el paso a un régimen civil, pero el Perú no se reponía aún de los efectos corruptores que el propio Vargas Llosa había abordado ya en sus primeras novelas (sobre todo *La ciudad y los perros* y *Conversación en La Catedral*), retratos balzacianos de una sociedad de inmensos contrastes económicos, y avasallada por los viejísimos fueros militares y religiosos. Distanciado ya de la Revolución Cubana, a la que había apoyado con entusiasmo como la mejor opción para Latinoamérica, y crecientemente escéptico de que el problema que había «jodido» a estos países fuese el orden capitalista, Vargas Llosa había dedicado la década de los setenta a cultivar una zona creativa más lúdica y erótica, más puramente literaria. Pero el decenio siguiente sería distinto y, como anuncio de los tiempos por venir, en 1981 publicó una saga de dimensiones y aliento tolstoianos: *La guerra del fin del mundo*. La mayoría de los intelectuales latinoamericanos la leyó sin advertir que tocaba un nudo histórico permanente en estas sociedades antiguas y atrasadas: la violentísima reacción de las masas —acaudilladas casi siempre por un redentor carismático que revive o manipula mitos atávicos— al intento de una súbita modernización. Había pasado en 1780 en el Perú, con la rebelión de Túpac Amaru contra las reformas borbónicas. Pasó igualmente en México, en los inicios de la Guerra de Independencia (1810), en la revolución de Emiliano Zapata (1911-1919). Y ocurrió también en la revuelta que recreó Vargas Llosa, la de los campesinos pobres de Canudos que, a fines del siglo XIX y encabezados por un líder mesiánico, el Conselheiro, defienden la «verdad de Jesús» contra el «demonio» encarnado en la nueva república brasileña. Proféticamente, Vargas Llosa vislumbraba no solo diversos momentos redentoristas de la historia futura en Latinoamérica (Chiapas, por ejemplo), sino hechos que son ahora motivo de perplejidad mundial: la rebelión fundamentalista contra Occidente.

El poder y la violencia habían sido siempre temas centrales en la obra de Vargas Llosa, una clave maestra para explorar el alma de los hombres y la naturaleza de la maldad. En la década de los sesenta, el poder estaba representado por entidades generales o abstractas —el orden capitalista y la sociedad burguesa— que creaban y perpetuaban a los tiranos y su séquito siniestro. Con el tiempo, el novelista empieza a cambiar el foco y advierte los elementos opresivos en las ideologías que se ostentaban como liberadoras de la humanidad. Era el caso de los diversos movimientos guerrilleros en Centroamérica, que a su vez despertaban a los espectros militaristas en una espiral de muerte que no tenía límites. El Perú padecía entonces la instancia extrema de un movimiento de corte maoísta —Sendero Luminoso— que asesinaba a niños campesinos para mejor instruirlos en la ética del «hombre nuevo». Con escasas excepciones, los intelectuales latinoamericanos apoyaron a los guerrilleros. Vargas Llosa (y el grupo reunido alrededor de Octavio Paz en la revista *Vuelta*) tomó el camino impopular: reprobar tanto la opción militarista como la guerrillera, proponer la democracia.

El torbellino de la historia tenía que alcanzar a Vargas Llosa, y lo alcanzó. La matanza de Uchuraccay fue, según su propio testimonio, el clímax biográfico que cambió su destino. En 1983, a raíz de la extraña muerte de ocho periodistas en la zona de Ayachucho (asiento de las operaciones senderistas), un sector radical de la prensa y la opinión pública inculpó al

Gobierno de Belaunde Terry. En respuesta, el presidente formó una comisión investigadora de tres miembros —uno de ellos Vargas Llosa— y ocho asesores. Al cabo de treinta días en el lugar de los hechos, y después de recabar más de mil páginas de testimonios, la comisión concluyó que «los periodistas fueron asesinados por campesinos de Uchuraccay, con la probable complicidad de comuneros de otras localidades iquichanas, sin que en el momento de la matanza estuvieran presentes las fuerzas armadas». Al poco tiempo Vargas Llosa publicó en los principales diarios de Occidente su «Historia de una matanza», donde mostraba que los campesinos habían creído que los periodistas pertenecían a Sendero Luminoso. La experiencia —seguida de innumerables polémicas y diatribas— había terminado por revelarle la cruda verdad: «La realidad es que las guerras entre guerrillas y fuerzas armadas resultan arreglos de cuentas entre sectores privilegiados de la sociedad, en los que las masas campesinas son utilizadas con cinismo y brutalidad por quienes dicen querer liberarlas. Son estas masas las que ofrecen siempre el mayor número de víctimas».

En ese momento de «asombro, indignación y tristeza» concibió *Historia de Mayta* (1984). Si Uchuraccay fue una revelación, aquel libro resultó precisamente un ajuste de cuentas con los fanatismos ideológicos que lo habían seducido en los años sesenta, aquellos que, «buscando bajar el cielo a la tierra», solo lograban arraigar aún más la opresión y la miseria. Para colmo, en el caso del Perú, la administración de Alan García amenazaba con nacionalizar la banca y estatizar la economía. En tales circunstancias, fue casi natural que un sector de la sociedad peruana llamara a Vargas Llosa como el hombre providencial, literalmente el exorcista, único capaz de introducir un orden racional en la espiral de caos, desgobierno y violencia. Todas las prevenciones contra la tentación del poder, que sin duda conocía, palidecían frente a la necesidad de un compromiso político directo. El tomo tres del volumen de ensayos *Contra viento y marea* (título combativo, inspirado en *Against the Current*, de Isaiah Berlin) refleja ese llamado al que se entrega por unos años, armado de nuevas teorías económicas liberales destinadas, no a salvar al Perú, sino a mejorarlo. Porque no se trataba de bajar el cielo a la tierra, sino de dejar al cielo en el cielo y buscar para los peruanos una residencia en la tierra menos opresiva e injusta.

Por unos meses la fortuna le sonrió. Semanas antes de las elecciones, las encuestas le daban una amplia ventaja. Pero los demonios históricos del Perú andaban sueltos. En *El pez en el agua* (autobiografía publicada en 1993), Vargas Llosa refiere las «maniobras, intrigas, pactos, traiciones, mucho cálculo, no poco cinismo y toda clase de malabares» que soportó durante su campaña presidencial y después de ella, sobre todo ese «torrente de lodo», ese «vociferante muladar» de las palabras, los insultos, las mentiras, las calumnias vertidas en su contra. Lo más doloroso fue encontrar de frente, vivo, ese yo colectivo impermeable a la persuasión, hecho y contrahecho de resentimiento, desconfianza y prejuicio racial. Una escena digna de Buñuel quedaría grabada en su memoria. Ocurrió una mañana candente en una pequeña localidad en el valle de Chira, adonde acudía con algunos partidarios: «Armada de palos y piedras y todo tipo de armas contundentes, me salió al encuentro una horda enfurecida de hombres y mujeres, caras descompuestas por el odio que parecían venidos del fondo de los tiempos, una prehistoria en la que el ser humano y el animal se confundían. [...] Rugiendo y vociferando se lanzaron contra la caravana como quien lucha por salvar la vida o busca inmolarse, con una temeridad y un salvajismo que lo decían todo sobre los casi inconcebibles niveles de deterioro a que había descendido la vida para millones de peruanos. ¿De qué se defendían? ¿Qué fantasmas estaban detrás de esos garrotes y navajas amenazantes?».

Todos los fantasmas, comenzando por el primero, el de la Conquista: «Fuera españoles», le gritaban. Ahí estaba, intacta, esa «salvática nomenclatura racial que decide buena parte de los destinos individuales» en el Perú, un país con pocas mediaciones cívicas y posibilidades de diálogo, «cuyas estructuras sociales están basadas en una especie de injusticia total y donde la violencia está en la base de todas las relaciones humanas». El exorcismo directo, político, no solo era imposible: se había vuelto contra sí mismo. Max Weber tenía razón: su salvación personal iba por otro camino.

Cuando sobrevino la derrota —que a la distancia parece, al menos para él, una victoria en la derrota—, muchos recordamos con temor el destino de otro célebre escritor que, a los treinta y siete años de edad, había librado una espléndida batalla electoral tras la cual fue vencido (un poco como Vargas Llosa) por las fuerzas del aparato político-militar y un electorado inexperto. José Vasconcelos salió de México en 1929 a un largo exilio en Europa y Estados Unidos. Allí escribió los cuatro volúmenes de su autobiografía, quizá la más notable en su género en habla española. No solo un recuento puntual de sus avatares políticos, sino una confesión —en el sentido agustiniano— de sus pasiones, de sus errores y atropellos, de sus pecados. Pero, extrañamente, ese ejercicio no lo llevó a la serenidad, sino a ahondar el rencor, ya no solo contra sus enemigos, sino contra su país y contra la modernidad occidental. El demócrata de los años veinte alabó a Franco y prologó un libro de poemas de la esposa de Leónidas Trujillo.

Mucho más que Vasconcelos, Vargas Llosa tenía un lugar seguro donde volver: la literatura. No como refugio, sino como espacio propio de claridad y, sobre todo, de libertad. Como Vasconcelos, eligió el exorcismo autobiográfico pero, a diferencia de él, no para flagelarse al exhibir los «pecados de la carne» o aquellos desvaríos ideológicos que ya había aclarado en sus novelas. No se trataba ya de ver el rostro de los matones de la dictadura, los torvos militares, los sacerdotes tortuosos, los líderes mesiánicos, los guerrilleros, sino el rostro de don Ernesto J. Vargas, su dictador personal, su terrorista familiar, su padre. Tácitamente lo había enfrentado en sus novelas tempranas, donde la rebelión contra el padre es un tema recurrente. Ahora lo veía de frente. Creyéndolo muerto y guardando su memoria como la de un ángel en el cielo, el niño había vivido por diez años rodeado de nobles figuras paternales del ala materna hasta que de pronto, como un fantasma, el padre reaparece en la escena y descarga sobre su hijo el peso de sus resentimientos sociales y sus culpas no asumidas. «Él gritaba [...] y golpeaba a mi madre», «ella lloraba y lo escuchaba, muda». Muda y enamorada. Con su hijo practicaba el denuesto privado y las bofetadas públicas. La amenaza de «sacar ese revólver y dispararles cinco tiros y matarme a mí» fue el pan diario de aquel niño aterrado, arrodillado en súplica de «perdón con las manos juntas». Cuando se enteró de que Mario escribía versos se alarmó, por aquel presagio seguro de que sería «marica», y lo internó en el colegio militar Leoncio Prado (exorcizado por Vargas Llosa en *La ciudad y los perros*). Al paso de esas páginas autobiográficas, narrando pausada, detalladamente la historia de su padre, Vargas Llosa vio de frente el «terrible rencor» que llegó a sentir contra él, contra su poder arbitrario, absoluto, impredecible, y aquel «odio ígneo» se disolvió, si no en el perdón, al menos en una actitud compasiva por esa figura «recóndita y ciega a la razón».

¿Qué demonio quedaba por convocar y combatir? El del responsable principal de la miseria latinoamericana: el dictador arquetípico, el déspota que, con diversas modalidades, ha reducido muchas veces la historia de estos países a una mera biografía del poder. Solo así culminaría su parricidio creativo.

¿Una novela más sobre dictadores? Lo precedía una larga y admirable genealogía, de Valle Inclán a García Márquez, de Asturias a Carpentier, de Roa Bastos a Uslar Pietri. Casi todos los escritores del *boom* habían creado una novela sobre su propio tirano, o al menos sobre su versión local del Nostromo de Conrad, ese hombre fuerte, cacique o caudillo, señor de horca y cuchillo que se apodera de las vidas, haciendas y conciencias de los pueblos. Se había interesado en la figura de Trujillo desde 1975, pero esta vez los hados —no los demonios— postergaron el compromiso hasta que el escritor hubiese atravesado personalmente los infiernos políticos y padecido, no solo los individuales (dictatoriales, escolares o familiares), sino los colectivos, los nacidos del fanatismo de las identidades raciales, ideológicas, nacionales, sociales, religiosas. Entonces, con una madurez que se antepone a la indignación para mejor comprender y exponer la naturaleza del mal, entró a la alucinante fiesta del Chivo.

Dos misterios paralelos se entrelazan y enfrentan, con puntualidad de drama griego, en la novela: el poder y la libertad. En la persona de Trujillo, Vargas Llosa diseca con ojo clínico, no solo la psicología, sino la anatomía del poder. Allí están los rasgos físicos de la dominación: la mirada paralizante, el mito del hombre que no sudaba, la manía de los uniformes y los entorchados, pero sobre todo la irrefrenable vanagloria sexual que, en un extremo casi talibánico de nuestra cultura machista, Trujillo utilizaba para imponer su control. La sujeción a través del sexo está en el centro mismo del fenómeno Trujillo. Reeditando el remoto «derecho de pernada», solía acostarse con las mujeres de sus ministros con el conocimiento o al menos una vaga complicidad de ellos, no solo para probar la incondicionalidad de su vasallaje y obediencia, sino para erigirse en un padre de familia sobre todas las familias, el hombre con derechos patrimoniales sobre su isla personal. Esa vejación obsesiva, esa esclavitud de la mujer al macho toca una fibra delicada en la imaginación de Vargas Llosa. Por eso el personaje principal de *La Fiesta del Chivo* es Urania, la hija pródiga de uno de los acólitos de Trujillo. Receptáculo de una conciencia histórica triste, lúcida, obturada en sus posibilidades de felicidad, Urania conduce la novela. Vuelve a Santo Domingo décadas después del fin de aquel régimen para enfrentar sus propios espeluznantes fantasmas y los de su tierra natal.

La Fiesta del Chivo recorre morosamente esa caterva de personajes cortesanos, entre grotescos y atroces, que segrega todo régimen dictatorial, algunos verdaderos, con nombre y apellido, otros ficticios, compuestos de perfiles que se dieron en la realidad. Allí están, con lujo de detalle, el matón o policía personal (el aterrador Johnny Abbes García, ex socialista, especialista en espionaje, artista de la tortura), su administrador económico (el cínico y corrupto Chirinos), su asesor político y leguleyo (el «Cerebrito» Cabral, padre de Urania), un modisto alcahuete (Manuel Antonio) y el más extraño de todos, el poeta o intelectual de cámara Joaquín Balaguer que, ciego y casi paralítico a sus noventa y cinco años, sigue siendo, al día de hoy, una figura mítica en la República Dominicana («Que nadie aspire mientras Balaguer respire», anunciaba hace poco la propaganda de su partido). Vargas Llosa refiere la abyección extrema de Balaguer cuando, en un discurso, sostuvo que Dios había protegido a la República Dominicana de sus desastres históricos y naturales hasta delegar esa tarea providencial en manos de Trujillo. El dictador creía puntualmente en esa interpretación. Pero, ¿también Balaguer? «Hice la política que se podía hacer», le confesó a Vargas Llosa. «Esquivé a las mujeres y la corrupción». Soltero y solitario, versificador modernista y hombre culto, Maquiavelo habría admirado la discreta supervivencia de Balaguer durante las décadas del Trujillismo, pero más aún la relojería política que echó a andar tras el asesinato del dictador. En aquel teatro shakespeareano no se escatima la acción represiva contra los conspiradores, pero después se aprovecha esa misma estela de sangre para honrarlos en muerte y desterrar —implacable y suavemente— a los herederos de Trujillo. «La política es eso —confesaba Balaguer, sin inmutarse—: abrirse camino entre cadáveres»[1].

En su cirugía literaria, Vargas Llosa describe en detalle los procedimientos de manipulación, las variedades de la censura y la sutil gradación en el ejercicio del dominio: desde el simple extrañamiento, en un ademán que deja a la víctima exánime, hasta el más brutal asesinato. Con todo, el misterio mayor reside en la colaboración voluntaria, hipnótica, de las masas subordinadas a un hombre: «Trujillo les sacó del fondo del alma una vocación masoquista, de seres que al ser escupidos, maltratados, y sintiéndose abyectos, se realizaban». Había «algo más sutil e indefinible que el miedo» en la parálisis de la voluntad y del libre albedrío, no solo en el ciudadano común, sino en personajes valerosos, como el general José Román, quien, habiendo participado centralmente en la conspiración contra Trujillo y consumado ya el magnicidio, entra en un estado de parálisis, revierte la liberación de su destino y sufre, o más bien provoca voluntariamente, su espantoso e innecesario martirio. ¿Había violentado un tabú, algo sagrado? Vargas Llosa propone una respuesta al enigma: Trujillo seguía dentro de ellos, dominándolos, avasallándolos. Revelar minuciosamente los mecanismos que emplea ese fantasma fue uno de sus incentivos mayores para embarcarse en la novela.

Esa revelación no podía tomar la forma fácil de un tratamiento burlón, fársico, extravagante o teatral, como ocurrió en el caso de otras novelas de dictadores, señaladamente *El otoño del patriarca*, obra magistral sin duda, pero donde predomina una atmósfera casi divertida u orgiástica, una suerte de interminable orgasmo del poder —no exento de desesperación y melancolía— por parte del patriarca inmortal e inasible, en su «vasto reino de pesadumbre». Significativamente, García Márquez no describe o desentraña la pesadumbre: la registra, la presupone. La prosa misma —con su torrente verbal y su incesante imaginería— es una onomatopeya del poder. Vargas Llosa, en cambio, documenta con acuciosidad casi jurídica la pesadumbre. Su prosa es mucho más puntual y acotada, más controlada por el ojo crítico que quiere recrear, desde dentro, las recámaras del poder. En la tradición shakespeareana, *La Fiesta del Chivo* es una novela que, en palabras de Vargas Llosa, «no finge la irrealidad sino la realidad», y parte de fuentes, reportajes, testimonios y obras históricas de primera mano.

La distinción entre los dos tratamientos no es solo literaria: creo que también es moral. La erótica del poder atrae a algunos escritores, tanto en sus novelas como en su vida real. Esa fascinación consiente su transmutación artística: el patriarca de García Márquez, con sus cinco mil hijos y doscientos años de edad, mueve a risa y asco —a veces incluso a lástima—, es la idea platónica del patriarca vuelta prosa poética, una idea selvática, vegetal, zoológica, telúrica. Si se acuesta con todas las mujeres es porque no ha encontrado el amor. Es una víctima múltiple: de sí mismo, de la mujer esquiva, del prestigio taumatúrgico que los otros se han construido en torno a él, de los embajadores yanquis, de la Iglesia Católica, de los implacables conspiradores que asesinaron a su esposa e hijo, de los cortesanos que lo engañan y manipulan y, sobre todo, del tiempo. En su novela, García Márquez se rinde a la piadosa y casi tierna fascinación por esa «autoridad inapelable y devastadora» que alguna vez había sido «un torrente de fiebre que veíamos brotar ante nuestros ojos de sus manantiales primarios», pero que «en el légamo sin orillas de la plenitud del otoño [...] estaba tan solo en su gloria que ya no le quedaban ni enemigos».

También en Vargas Llosa hay una fascinación frente a sus personajes, incluso frente a los más crueles (como Johnny Abbes), pero es de una índole distinta: no hay un solo momento de regodeo, sino la firmeza de una vivisección definitiva, las ganas inmensas de exorcizarlos de una vez por todas en la armonía de la narración. En la novela y en la realidad, a Vargas Llosa no lo mueve la atracción por el poder sino su enjuiciamiento, su crítica, incluso su abolición en zonas individuales en las que el poder no vale ni debe valer nada.

Porque, a diferencia también de otras novelas de dictadores, *La Fiesta del Chivo* tiene protagonistas entrañables (casi todos mártires) que representan el llamado, no menos misterioso, de la libertad. En aquellos conspiradores que tenían agravios pendientes con el dictador, la rebeldía, sin ser menos heroica, es comprensible. Pero la contraparte perfecta del poder absoluto encarna en un personaje conmovedor, Salvador Estrella Sadhalá, dominicano de ascendencia libanesa y cristiano de convicciones absolutas, que descubre, gracias a su director espiritual y al nuncio apostólico, que en la propia tradición católica, en el mismísimo Santo Tomás, se declara lícito el tiranicidio como recurso último ante el poderoso que ha olvidado, relegado o traicionado la soberanía original del pueblo, la búsqueda del «bien común». Sin saberlo, Estrella Sadhalá descubría las fuentes originarias de un pensamiento libertario anterior, o cuando menos paralelo, al liberalismo anglosajón.

«Si hay algo que yo odio —ha dicho Vargas Llosa—, algo que me repugna profundamente, que me indigna, es la dictadura. No es solamente una convicción política, un principio moral: es un movimiento de las entrañas, una actitud visceral, quizá porque he padecido muchas dictaduras en mi propio país, quizá porque desde niño viví en carne propia esa autoridad que se impone con brutalidad». En términos biográficos y en la historia de la literatura en habla hispana, *La Fiesta del Chivo* es una defensa apasionada y definitiva de la filiación contraria, la filiación de la libertad. Esa misma filiación signó (a principios del siglo XIX) el pacto fundacional de los países latinoamericanos, y a ella hemos vuelto ahora, maltrechos pero acaso más sensatos, como Urania a Santo Domingo, tras doscientos años de dictaduras y anarquías, de revueltas y rebeliones, de guerrillas y revoluciones. El poder —sus representantes vivos y sus demonios— no cesará de afirmar su voluntad y su imperio. Lo hará encarnando en dictadores demagógicos o asesinos, o en colectividades fanáticas y opresivas. La literatura no podrá evitarlo, no es ese su papel; pero en su radical libertad, la literatura —sobre todo la de ficción— es, como decía Orwell, el preventivo natural contra la dictadura y algo peor, letal de hecho para los tiranos en sus «vastos reinos de pesadumbre»: la literatura, no el poder, suele tener la palabra final.

(1) El artículo fue escrito en el año 2001, cuando Balaguer aún vivía. *(Nota del editor).*

* * *

ENRIQUE KRAUZE (Ciudad de México, 1947), historiador y ensayista, es director de la revista *Letras Libres*. Entre otros libros, ha publicado *Caras de la historia, Desventuras de la democracia en América Latina, Por una democracia sin adjetivos, Biografía del poder* y *Travesía liberal.* Además de sus colaboraciones periodísticas de crítica política en *Reforma, El Norte, La Jornada* y la edición de dos recopilaciones de sus mejores ensayos, *Textos heréticos* y *Tiempo contado,* Krauze tiene tres éxitos editoriales: *Siglo de caudillos* (1994), que le valió el IV Premio Comillas en 1993; *México: Biography of Power. A History of Modern Mexico, 1810-1996* (1997), que consolidó su presencia como escritor, historiador y crítico en el ámbito internacional, y *La presidencia imperial* (1997), un análisis profundo del sistema político mexicano a través de los presidentes. En 1990 ingresó a la Academia Mexicana de la Historia.

JEKYLL Y HYDE, LAS DOS ESCRITURAS

J.J. Armas Marcelo

En marzo del año 2000, la editorial española Alfaguara y en República Dominicana José Israel Cuello publicaban *La Fiesta del Chivo*, una novela que relataba, siguiendo en muchos casos los acontecimientos históricos (aunque en muchos más dejándolos de lado en beneficio de la ficción), la conspiración palaciega y militar del asesinato del dictador dominicano Rafael Leónidas Trujillo, el Generalísimo, el Jefe, el Chivo, artífice y monarca incontestable durante las largas décadas de la dictadura militar totalitaria, en la que el país fue despojado de todas sus libertades y derechos, vejado, sometido y humillado bajo la bota como no podía ser menos del «salvador de la patria». Al fin y al cabo, eso es lo que casi siempre hacen los «salvadores de la patria»: liquidar las libertades, los derechos, vejar al país y someter y humillar a su nación. La historia real del trujillismo no solo llena toda una época, paradójicamente moderna, de República Dominicana, un tiempo lleno de miedos, crímenes, miserias, terribles realidades y supersticiosas leyendas, sino que extendió su pavorosa tradición dictatorial disfrazándola de ribetes democráticos en la persona de José Joaquín Balaguer, protagonista esencial del trujillismo, tanto en la realidad histórica como en la ficción literaria de Vargas Llosa. Al menos bajo mi criterio de lector, es uno de los verdaderos protagonistas de *La Fiesta del Chivo*.

La novela no solo describe y reescribe los sucesos históricos del asesinato de Trujillo, deformados por el elemento añadido que los transforma en un hecho narrativo, en ficción literaria, antes que en realidad histórica, hasta cobrar esa escritura sus propios perfiles y realizarse literariamente como una entidad autónoma, independiente, distinta de la verdadera realidad histórica. No solo nos sitúa hasta hipnotizarnos en ese tiempo y en ese espacio insular de República Dominicana bajo la dictadura de Trujillo, aunque no la hayamos conocido de cerca ni sufrido de lleno, sino que nos muestra, en una exhibición muy poco común de talento narrativo, la devota servidumbre al Chivo a la que estaba entregada su clase dirigente: el trujillismo, los mantenedores del sistema dictatorial, la élite criada, cultivada y retroalimentada en los miedos y los privilegios que emanaban solo y exclusivamente de la voluntad, la ira y los favores del Generalísimo.

La crítica literaria y los lectores de Vargas Llosa saludaron efusivamente la escritura de *La Fiesta del Chivo*. La primera, salvo las sensaciones de rigor que corroboran siempre la regla, describió la excelencia de la novela para confirmar que Vargas Llosa había regresado por fin y para siempre a la literatura. Y lo había hecho tras escapar de la guerra de Troya, navegar durante diez largos años por su propio mediterráneo, venciendo obstáculos, pasiones y espejismos y escapando también por fin de la bruja Circe (la política activa o la actividad política), que lo retuvo ensimismado y secuestrado tanto tiempo hasta hacerle olvidar su verdadero destino: Ítaca, la literatura, su tierra, patria verdadera. Los segundos, los lectores, con las páginas de *La Fiesta del Chivo* cayeron mayoritariamente bajo ese envidiable fenómeno que llamamos «la paradoja del lector», por cuyo influjo e hipnotismo uno no puede separarse de la lectura que tiene entre manos. Lee como si estuviera devorando las páginas, y literalmente se traga una tras otra sin llegar nunca al hartazgo, sin empalagarse de su propia obsesión de lector, hasta que, cuando quedan unas pocas páginas y se le acaba ese placer, trata por todos los medios de frenar el final para que la lectura se extienda intemporalmente, todo cuanto sea posible y más. Este fenómeno literariamente consagratorio ya había ocurrido con la escritura novelística de Vargas Llosa —al menos que yo recuerde— en tres ocasiones, con tres títulos que nadie, ni críticos, ni profesores, ni lectores, ni siquiera sus más encarnizados adversarios literarios, políticos y personales habían puesto en duda: *La ciudad y los perros, La casa verde* y

Conversación en La Catedral. La tríada intocable que el novelista peruano había escrito cuando todavía era suficientemente joven, muy joven diríamos hoy, cuando Vargas Llosa aún parecía seguir manteniendo ideológicamente las tesis de la izquierda tradicional latinoamericana, cuya capital en ese momento era La Habana.

Por entonces, Vargas Llosa había pronunciado en Caracas, con motivo de la entrega del Premio Rómulo Gallegos a *La casa verde*, un magnífico discurso titulado «La literatura es fuego». En él, luego de convocar el espíritu de Oquendo de Amat, un olvidado poeta surrealista peruano, defendía la Revolución Cubana, llegaba a ponerla como ejemplo de lo que tendría que hacerse en el continente latinoamericano para los años venideros, política, social y culturalmente hablando. Pero el caso Padilla fue el detonante de una ruptura con Cuba y con las izquierdas tradicionales, y representó un alboroto descomunal y el principio del fin de la luna del miel y el concubinato entre los intelectuales latinoamericanos y europeos con el régimen castrista. Al fin y al cabo, todo esto es bastante conocido, pero debo hacer hincapié en aquellos episodios porque desde esa fecha en adelante Vargas Llosa pierde el favor de la inspiración literaria, o abandona desde entonces su sapiencia narrativa, y aquel novelista tan joven y prometedor se transforma en una suerte de monstruo que escribe artículos y ensayos, hace declaraciones a los medios informativos y da cursos y conferencias, y en cuya escritura no hay duda alguna de que respira la ideología más reaccionaria y derechista. De modo que, como ha huido de la izquierda para entregarse a la derecha, Vargas Llosa comienza a sufrir, según la mayoría de los de izquierda, el abandono de su talento literario. Es decir, desde entonces y hasta el año 2000 (lo que yo llamo «el efecto 2000»), Vargas Llosa estaba perdido no solo ideológica y políticamente, sino también literariamente.

Sin embargo, es importante reparar que, durante todos estos años y hasta *La Fiesta del Chivo*, el novelista no ha dejado de trazar, en sus relatos de ficción, en sus novelas y cuentos, una línea recta que camina hacia la libertad individual, pero también colectiva, que distingue con nitidez entre la civilización y la barbarie, vieja discusión latinoamericana desde Sarmiento y mucho antes, tomando claro partido ideológico por la primera frente a la segunda sin ningún paliativo. Porque a esa ideología de la libertad y la civilización frente a las barbaries y dictaduras de cualquier género hay que adscribir, o por lo menos yo lo hago, no solo sus tres primeras novelas, sino también las que vinieron después: *La guerra del fin del mundo, Historia de Mayta* (muy mal leída, por cierto), *¿Quién mato a Palomino Molero?* y *Lituma en los Andes* (la más golpeada de sus novelas y maltratada con tan excesivo como sospechoso desdén). Todas estas novelas no fueron recibidas por la crítica literaria, los profesores de literatura y los lectores como después recibirían *La Fiesta del Chivo*.

En mi opinión, esas novelas posteriores a *Pantaleón* y *La tía Julia* citadas líneas arriba no fueron leídas con el mismo espíritu de entrega ni la misma voluntad de seducción, y ni siquiera con el mismo interés literario, o hasta político, con el que se leyeron las novelas anteriores a la ruptura de Vargas Llosa con la izquierda. De esta manera, el bosque de los prejuicios no dejaba ver bien los árboles uno por uno, sino que fueron juzgados todos juntos, por críticos y lectores, como un conjunto de novelas de un gran novelista que, probablemente por despistarse con la ideología inconveniente y el discurso cultural dominante, había perdido pie en su exclusiva y excluyente vocación literaria, hasta el punto de no conseguir la misma traducción de talento literario en esas obras citadas que en aquellas escritas en su plena juventud y alguna que otra casi en la adolescencia. Dicho de otro modo, mítica y metafóricamente, según este criterio tan sectario y prejuicioso, la literatura había tenido a bien vengarse contra uno de sus mayores talentos, porque había abandonado su natural paraíso ideológico y porque de paso se había mudado a jardines que no iban parejos con este talento: la ideología derechista, el neoliberalismo, la política activa. Añadamos a esa metamorfosis de su escritura literaria la transformación que a lo largo de todos esos años sufre la escritura periodística y ensayística de Vargas Llosa: el doctor Jekyll se ha convertido ya en el monstruoso Mr. Hyde, o viceversa. Y si hay una escritura literaria que pertenece al primero, en los primeros años de esa misma literatura hasta principios de los setenta, fecha en que coincide con el debate interminable del caso Padilla, hay que añadir el debate posterior de la aparición de *Persona non grata*, de Jorge Edwards —y podemos salvar esa parte porque estaba escrita con y por el talento literario de un escritor que era de los nuestros—. Por la misma razón, es decir por identidad y sin razón, hay que despreciar y condenar la posterior escritura del Mr. Hyde, avalada además por esa otra escritura ideológicamente enemiga que no cesa de perpetrar sus impertinentes tatuajes en artículos, conferencias y ensayos, tal como sucede en *El pez en el agua*, libro de memorias del escritor, y en *La utopía arcaica*, el ensayo sobre Arguedas y las ficciones del indigenismo.

Pero, entonces, en plena primavera del año 2000, cuando Vargas Llosa está a punto de cumplir una edad de abuelo respetable, como él mismo se define entre sus amigos, se publica *La Fiesta del Chivo* y de nuevo surge el gran novelista que habíamos aplaudido todos por *La ciudad y los perros*, *La casa verde* y *Conversación en La Catedral*, obra que para muchos profesores, críticos y lectores está directamente emparentada con la escritura, los procedimientos narrativos y las técnicas novelísticas de *La Fiesta del Chivo*. Y lo que ocurre entonces es el famoso «efecto 2000», que enmarcó el regreso del deicida a la libertad absoluta de la literatura, un camino en el que además vuelve a ganar el aplauso literario y hasta ideológico de sus muchos lectores amigos y de los otros, los que lo habían abandonado porque dejaron de gustarles las novelas de Vargas Llosa o porque había dejado de gustarles el propio Vargas Llosa. En realidad, porque rechazaban por reaccionarias las ideas que proponía en sus artículos periodísticos, en sus ensayos y sus conferencias.

Sucede además que, a lo largo de todos esos años, había un amplio grupo de lectores de Vargas Llosa que seguían leyendo sus novelas pero detestaban sus artículos, conferencias y ensayos. Les seguía gustando, por ejemplo, la escritura literaria de Vargas Llosa, aunque no les interesaba y reprobaban la escritura periodística del mismo autor, argumentando que era un magnífico novelista que expresaba ideas equivocadas en artículos y en ensayos. Se mantenía en pie, en todo caso, el estereotipo según el cual un talento literario y hasta un genio de la escritura literaria puede serlo sin que tenga la más remota idea del mundo en el que vive y del universo al que pertenece. Así es que, para quienes así pensaban, o siguen pensado, había en Vargas Llosa dos escrituras tan distintas como contrapuestas: una, la literaria, cuya escritura dibujaba mayoritariamente una ideología contraria a la segunda escritura, la periodística, donde el intérprete y pensador desarrollaba su ideología conservadora. Y aquí está el nudo de la cuestión, el asunto complicado, porque personalmente yo dudo que Vargas Llosa no sepa lo que escribe cuando escribe periodismo y para conferencias y sepa muy bien lo que escribe cuando escribe novelas y relatos. La versión de las dos escrituras de Vargas Llosa, tan distintas y distantes que consolidaría la tesis de Jekyll y Hyde, forma parte de la falacia que todos estos años —sobre todo cuando anduvo de pasajero de la política, en la campaña presidencial de 1990 y en los años posteriores, hasta la huida vergonzosa de Fujimori— se ha ido fabricando con suma y tranquilísima lentitud.

Voy a incorporar la teoría de Vargas Llosa como un intruso en la historia, la ideología y la política activa o pasiva (como escritor preocupado por la política) para cerrar el cuadro del debate. Cuando se supo que el peruano estaba escribiendo una novela sobre Trujillo y República Dominicana, la inquietud se palpó en todas las esferas del poder de aquella isla, como cuando fue a la Nicaragua sandinista de Daniel Ortega para escribir sus reportajes. El comité de apoyo que siempre surge en estos casos, ante la presencia de un escritor tan relevante, del que se sabe que todo cuanto escribe es leído y discutido, se multiplicó entre los dominicanos poderosos, porque tal vez pensaban —y esto solo es una hipótesis— que mimando al intruso quedarían a salvo de la quema, y el novelista impertinente no repararía en sus siluetas ni en sus sombras tan cercanas al trujillismo. Por eso, como escribió Pedro Conde Sturla en el suplemento cultural *Siglo*: «De la novela se habló y se escribió antes de ser escrita, y antes de ser novela se novelaba sobre ella, pobre criatura. Se la concibió como infamia antes de ser concebida, y durante el proceso de gestación corrieron rumores perversos. Antes de nacer enfrentó resistencia, y el parto, ya se sabe, fue seguido con morbosa curiosidad. El clímax se produjo con la publicación del segundo capítulo en el *Listín Diario*. Fue un acto sádico, de refinado sadismo, por parte del editor dominicano, que dejó en ascuas a millares de lectores. (Eso no se hace, por Dios, poner un bocadillo en boca de hambrientos y demorar el banquete)».

En cuanto al comité de apoyo, tras convencerse Conde Sturla de que Vargas Llosa se equivocaba al pensar que el trujillismo estaba muerto, dice que el novelista inoportuno, intruso, morboso e impertinente (en una palabra, intruso de la historia que no le correspondía) «vino al país a documentarse y a escribir sobre Trujillo, pensando que Trujillo estaba muerto y enterrado, y se desató un escándalo —tamaño escándalo—, porque Trujillo vive y manda. [...] Sus herederos y discípulos son todavía los dueños del país, son los magos del ritmo. Ellos controlan el poder, ellos controlan la información, ellos controlan la historia, hasta cierto punto, pero no controlan la verdad. La corte y sus cortesanos lo recibieron a Vargas Llosa como a un príncipe, lo mimaron, trataron de asimilarlo como bufón del rey. Quizás le recordaron sutilmente aquello de que la mierda no se bate y Vargas Llosa la batió, muy selectivamente por cierto, y el olor es terrible. Rompan filas».

Yo soy de los que piensa, como Conde Sturla y tantos otros impertinentes políticamente incorrectos, que la importancia de la escritura literaria no se reduce a lo literario, sino que trasciende su misma autonomía. Y tampoco es un mero hecho de lengua, por muy importante que este sea, o un hecho de pensamiento, sino que es también en muchos casos un dato histórico, cultural, sociológico, un hecho que pertenece a la esfera de la ideología, que es como pertenecer a muchos ámbitos. Todos estos factores influyen, porque, independientemente del valor literario que otorguemos a las novelas de Vargas Llosa, esta escritura literaria deriva sin duda en una lección ideológica, estemos de acuerdo con ella o no. Por eso, también y sobre todo en República Dominicana, *La Fiesta del Chivo*, si no desató una guerra, provocó un conato de incendio. En palabras del propio Conde Sturla, «una llamarada de indignación y reflexión en la conciencia de los dominicanos».

Eso es lo que sucede en el Perú, y por extensión en muchas partes de América Latina y en España, con las novelas de Vargas Llosa que tienen que ver con la política y con el poder de la política y con la política del poder: *La ciudad y los perros, La casa verde* y *Conversación en La Catedral,* lo que yo llamo la tríada intocable, y también *La guerra del fin del mundo, Historia de Mayta, ¿Quién mato a Palomino Molero?* y *Lituma en los Andes.* Todas estas novelas pertenecen al ámbito ideológico de Vargas Llosa, al pensamiento ideológico y por tanto político de Vargas Llosa. Todas representan un rechazo de la barbarie y un análisis de las consecuencias derivadas de sus supersticiones, desde el militarismo al terrorismo y al indigenismo. Desde el pensamiento bárbaro y la incultura de la cultura hasta el pensamiento mágico y utópico. Esa lección ideológica, incómoda para mucha gente, estemos o no de acuerdo con ella, derivada de la escritura de las novelas citadas, llega a su síntesis de madurez literaria con *La Fiesta del Chivo,* cuya escritura ideológica me parece paralela con la otra escritura que el deicida transformaba en conciencia para unos y en monstruos para otros.

La escritura que despliega en los volúmenes titulados *Desafíos a la libertad* y *El lenguaje de la pasión* es la misma que leemos en el ensayista de *La utopía arcaica,* hasta el punto de que no hay en Vargas Llosa dos escrituras ideológicas, la del novelista y la del articulista, sino una sola y la misma. He de repetir que con esa escritura ideológica no resulta necesario y, a veces tampoco es saludable, mostrar un acuerdo absoluto ni una admiración total, como hacen otros muchos, naturalmente en su derecho. Lo justo, desde el punto de vista del lector crítico, sería despojarnos de todos nuestros prejuicios ideológicos y literarios, que

66

a veces se confunden y otras veces son los mismos, para llegar a entender, por un lado, los criterios del articulista y el ensayista y compartirlos en nada, en parte o en todo; y, por otro, para comprender los criterios del novelista, que para muchos lectores y críticos, tal vez por sus prejuicios ideológicos, parece que no son los mismos en la primera y en la segunda escritura. Sucede que Vargas Llosa se mueve en esas supuestas dos escrituras hacia una misma dirección, vayan ellas o no de la mano, en cada artículo, en cada novela, porque esas dos hipotéticas escrituras, la de Jekyll y Hyde o viceversa, se deben a unos mismos presupuestos ideológicos y literarios. Ahora mismo Vargas Llosa, en sus dos escrituras opuestas o iguales, deja abiertas ambas posibilidades.

Habría que regresar, aunque sea por un momento, a sus memorias, tituladas *El pez en el agua* y publicadas en 1993, pues yo soy de los que creo que no solo son un testimonio apasionante e ineludible, sino también uno de los principales libros de Vargas Llosa. En este volumen se explicita la lucha entre las dos personalidades del escritor Vargas Llosa: la tentación de la política activa y la realidad de una vocación única en su vida, la literatura. Cabe recordar que este libro está escrito en artículos alternativos: los impares son la memoria literaria, los pares son la memoria del pasajero de la política durante la temporada de su actividad como candidato a la presidencia del Perú. Estas memorias son realmente cruciales, porque revelan la evolución personal de un escritor controvertido y el descubrimiento de la literatura junto al otro demonio esencial de su pasión, la política, hasta el instante de madurez en que ese mismo escritor, que ha conseguido ya el reconocimiento internacional de todas sus obras y de su quehacer intelectual y literario, decide lanzarse a la arena de la política activa, como si fuera un gladiador, al que de repente le ha atacado el virus de esa pasión política que en tantas ocasiones a lo largo de su vida ha batallado a brazo partido con su vicio de escribir.

Para entender mejor ese torneo entre las dos pasiones, cuyas estelas algunos suponen que son las dos escrituras de Vargas Llosa (Jekyll y Hyde o viceversa), hay que recurrir a *El pez en el agua*. Ajuste de cuentas o no, vindicación personal del escritor o no, venganza de la soberbia de Vargas Llosa o no, es un testimonio de gato escaldado frente al hipnotismo que Circe, la política, le ha provocado durante tantos años. Hay que enlazar este texto con el prólogo a *La condición humana*, de André Malraux, que Vargas Llosa escribió para la edición de Círculo de Lectores en el año 2001, en una colección dirigida por él mismo. En varios párrafos del prólogo, Vargas Llosa se identifica con Malraux y con la vocación bifronte del francés, siempre entre la política y la literatura, por la vida. Lo que yo llamo el síndrome Malraux, que el peruano había padecido hasta 1990 como una pasión activa, queda completamente al descubierto, incluso para quienes todavía expresan sus dudas razonables sobre Vargas Llosa y sus dos escrituras. Al referirse a la novela prologada, el peruano escribe: «Desde que la leí, de corrido, en una sola noche, y, por un libro de Pierre de Boisdeffre, conocí algo de su autor, supe que la vida que hubiera querido tener era la de Malraux. Lo seguí pensando en los años sesenta, en Francia, cuando me tocó informar como periodista sobre los empeños, polémicas y discursos del ministro de Asuntos Culturales de la Quinta República, y lo pienso cada vez que leo sus testimonios autobiográficos o las biografías que, luego de la de Jean Lacouture, han aparecido en los últimos años con nuevos datos sobre su vida, una vida tan fecunda y dramática como la de los grandes aventureros que fraguó». Un poco más adelante, tras enumerar la actividad enloquecedora y apasionante de Malraux y la multitud de intrigas y complicaciones de su vida mientras hacía al mismo tiempo política y literatura, Vargas Llosa escribe: «Esta vida es tan intensa y múltiple como contradictoria, y de ella se pueden extraer materiales para defender los gustos e ideologías más enconadamente hostiles. Sobre lo que no cabe duda es que en ella se dio esa rarísima alianza entre pensamiento y acción, y en el grado más alto, pues quien participaba con tanto brío en las grandes hazañas y desgracias de su tiempo, era un ser dotado de lucidez y vigor creativo fuera de lo común, que le permitían tomar una distancia inteligente con la experiencia vivida y trasmutarla en reflexión crítica y vigorosas ficciones». Esto es lo que dice Vargas Llosa de Malraux, y también es lo que yo puedo aplicar perfectamente a Vargas Llosa.

Por un lado, Vargas Llosa dice «expresión crítica» y por otra dice «vigorosa ficción». Reflexión crítica, vigorosas ficciones, pero las dos son una misma escritura, una misma reflexión basada en la experiencia vital del escritor André Malraux. Mucho antes de este prólogo, Malraux había sido una referencia constante en Vargas Llosa, hasta llegar a convertirse para él y para otros muchos escritores e intelectuales de este mundo —en un debate intelectual e ideológico en el que la política activa y el vicio de la literatura se mezclaban en el dibujo histórico del novelista francés, invariablemente defendido por Vargas Llosa— como un paradigma del hombre de acción política y apasionado escribidor que tomaba del mundo que estaba viviendo y que conocía bien —no solo por su propia experiencia, sino por noticias, documentación, información y reflexión— cuantos asuntos creía que debían ser llevados a la escritura, a la reflexión crítica o a sus vigorosas ficciones.

En este prólogo a *La condición humana*, y tras declararse fetichista de los escritores que admira, Vargas Llosa escribe: «Estoy, pues, colmado con la fantástica efusión pública de revelaciones, infidencias, delaciones y chismografías que en estos momentos robustecen la ya riquísima mitología de André Malraux, quien, como si no hubiera bastado ser un sobresaliente escribidor, se las arregló, en sus setenta y cinco años de vida (1901-1976), para estar presente, a menudo en roles estelares, en los grandes acontecimientos de su siglo —la Revolución China, las luchas anticolonialistas del Asia, el movimiento antifascista europeo, la guerra de España, la resistencia contra el nazismo, la descolonización y reforma de Francia bajo de Gaulle— y dejar una marca en el rostro de su tiempo». El síndrome Malraux es rastreable en Vargas Llosa con suma facilidad, y mucho más después de esta confesión con la excusa de *La condición humana*, un síndrome que ha atacado con frecuencia a multitud de escritores distintos y distantes, de lejanos y hasta contradictorios ámbitos culturales, geográficos e ideológicos. Escritores que por emulación, admiración, vocación bifronte política y literatura o literatura y política, y hasta en algunas ocasiones por descuidos vitales, encuentran en el ejemplo del francés el camino a seguir en sus propias vidas de escritores.

El mismo Vargas Llosa cita a Orwell y Koestler, cuya autobiografía es el ejemplo del escritor metido en harinas y arenas políticas entre la intriga pasional y la tentación ideológica del compromiso con su tiempo y sus ideas, y cita también a T.E. Lawrence. La lista de los escritores que mezclaron sus vidas aventureras con la política activa, fueron a la búsqueda o se encontraron con Circe en cualquiera de las esquinas de su apasionante existencia es muy numerosa, y entre los españoles de nuestra más cercana memoria cabe citar a Jorge Semprún, cuya vida, experiencia y evolución política están tanto en la escritura autobiográfica de sus libros testimoniales como en la escritura de sus ficciones novelísticas. Semprún, dirigente comunista, miembro de la resistencia francesa, superviviente de los campos de concentración nazis, llegó a ser ministro de Cultura en España en los años noventa, cuando el poder carismático y político de Felipe González todavía no hacía sospechar la caída de los socialistas y el desprestigio vergonzoso de su Gobierno. Precisamente esto se debió a los errores de soberbia política del propio felipismo, cuyo intento de hacer del PSOE una fuerza muy parecida al PRI mexicano —al que Vargas Llosa llamó en esos años la dictadura perfecta con hipócrita escándalo de los ámbitos políticos, culturales y mediáticos mexicanos— no fue precisamente un invento de mi calenturienta y hiperbólica visión de los años noventa en mi país, que reflejé en un libro titulado *Los años que fuimos Marilyn*.

Parecida fiebre atacó siempre, y a veces con la violencia de la vocación pasional, al propio Vargas Llosa, hasta al punto de que a muy poca gente de su entorno amistoso, y de paso a quienes le brindan su enconada amistad, nos sorprendió la determinación del escritor al decidir entrar en la batalla de la política activa y presentarse como candidato en las elecciones presidenciales del Perú en 1990. A los amigos de su literatura, a sus lectores y a muchos de sus seguidores nos admiró esa decisión al margen de otros matices. En cambio, a muchos de sus enconados enemigos les provocó alarma y rechazo que el primero de la clase se metiera en camisa de once varas, como si fuera de verdad un intruso, esa otra sombra que persigue a Vargas Llosa por todos lados, un metiche al que nadie ha mandado llamar a revolver y a batir mierda (perdonen la expresión de Conde Sturla), lo que se supone que no le corresponde. Otros muchos consideramos esa determinación como una consecuencia lógica de su actividad y conciencia civiles, rozando en múltiples ocasiones el síndrome Malraux hasta caer de lleno en los brazos de la bruja Circe. Para nosotros, para muchos de sus amigos y seguidores, se trataba de un compromiso político con la democracia de su país, que Vargas Llosa veía amenazada por los intentos de estatización del gobierno de Alan García. Esta decisión de batalla política hizo que Vargas Llosa cayera definitivamente bajo el síndrome Malraux aquella temporada infernal que terminó con la victoria en las urnas de Fujimori el 10 de junio de 1990, episodio que también es el origen, detonante y resultado de *El pez en el agua*, mitad memoria política, mitad autobiografía literaria.

En todo caso, gracias a *El pez en el agua* nadie puede negar ni olvidar hoy que la personalidad política, intelectual y literaria de Vargas Llosa, en plena madurez creativa y como Malraux metido hasta el tuétano en la historia viviente de su Perú y por extensión de América Latina y Europa, es una marca en el rostro de su tiempo, que también es el nuestro. Por eso, a los lectores que se acercan a él en entrevistas o apariciones públicas y le confirman que lo que les gustan son sus novelas, Vargas Llosa les contesta siempre, divertido por lo repetitivo del juego: «No lean mis artículos, no lean mis ensayos, lean mis novelas». Y sucede que, tras la temporada de pasajero de la política —estemos o no de acuerdo en todo, en algunas cosas o en nada con sus dos escrituras, con alguna de las dos o pensemos que ambas son una sola—, no cabe ya duda de que Vargas Llosa, Jekyll y Hyde o Hyde y Jekyll, se ha convertido en uno de esos escritores cuya intervención en el periodismo de actualidad, en el suceso, la hipótesis y el análisis político, en los foros universitarios, intelectuales y políticos y sobre todo en la literatura es una constante llamada a la reflexión, un toque de atención, una piedra de toque que no pasa inadvertida a la opinión pública del mundo entero. Una cierta conciencia literaria en la que casi, si no siempre, coinciden, pese a lo que sostienen a veces encarnizadamente muchos de sus adversarios ideológicos y personales, su mundo literario y sus criterios ideológicos. Y ahí, en sus novelas y en sus artículos, Vargas Llosa rinde homenaje y defiende lo que se llama la sociedad abierta, tal como Popper exactamente la entendía. Y ahí sigue en ese papel, tan molesto, para tanto el escribidor, el articulista provocador como el liberal que detesta por igual las hipocresías de las izquierdas convencionales —de las que el poeta Padilla decía con suave y evidente sarcasmo: «En eso se está y de eso se vive»— y los postulados vetustos y tradicionales de las derechas convencionales. Y añado yo los versos de Mario Trejo: «De dos peligros debe cuidarse el hombre nuevo: / de la diestra cuando es diestra / de la izquierda cuando es siniestra». Ahí sigue, al pie del cañón, contra viento y marea, el joven cadete, convertido tras muchos años de duelo y esfuerzo en un mosquetero experimentado y maduro, enfrentado todos los días a sus muchos demonios personales, históricos y familiares. Ahí sigue todos los días escribiendo en Londres, París, Madrid o Lima con una frenética disciplina entre el voluntarismo a prueba de bombas y la obsesión, el vicio de escribir que lo ha llevado ni más ni menos a ser tal cual él es hoy, un abuelo respetable. Y este abuelo respetable trabaja con la misma vitalidad y la misma pasión que el joven escritor peruano que una mañana de enero de 1958 viajó por primera vez a Europa para acometer la insólita aventura que se había fraguado en sus sueños de adolescente en Lima: la de convertirse en un escritor de verdad que se llame Mario Vargas Llosa, en cuya piel se encuentra… como pez en el agua.

* * *

J. J. Armas Marcelo (Las Palmas de Gran Canaria, 1946) cambió con frecuencia de residencia hasta fijar su domicilio en Madrid en 1978. Novelista y cronista, ha desarrollado una intensa actividad literaria, dividida entre el mundo editorial y los medios de comunicación. En 1974 apareció su primera novela, *El camaleón sobre la alfombra*, con la que obtuvo el Premio Galdós en 1975. Desde entonces ha publicado una obra prolífica, entre la que destaca *Estado de coma, Calima, Las naves quemadas, El árbol del bien y el mal, Los años que fuimos Marilyn* y *Los dioses de sí mismos*, que ganó el Premio Internacional de Novela Plaza & Janés en 1989. *Madrid, distrito federal* (1994), una obra de ficción largamente esperada, triunfó merecidamente entre la crítica y el público lector. Durante los últimos años han visto la luz *Así en La Habana como en el cielo* (1998) y *El niño de luto y el cocinero del Papa.* (2001). Es autor de una completa biografía sobre Mario Vargas Llosa: *El vicio de escribir* (1991), revisada y ampliada en el año 2002.

ACERCA DE LA LITERATURA Y LA POLÍTICA

Jorge Edwards

Cuando presenté *El origen del mundo* en Montreal, tuve una experiencia literaria curiosa ante un público que no sabía absolutamente nada de mí. No dejaba de ser interesante ver la lectura de uno de mis libros por gente que no tenía ninguna idea sobre mi obra y mi vida. Generalmente, lo que me ocurre, y esto ha sido una carga a lo largo de los años, es que siempre me escuchan o me leen como el autor de *Persona non grata*, como un señor que se peleó con Fidel Castro después de haber representado a Salvador Allende en Cuba. En cambio, ahora en Canadá se tiene una imagen mía como la de un viejo celoso y atrabiliario, porque la tendencia a creer que las novelas son autobiográficas es una tendencia natural muy poderosa. Así que en Canadá por lo menos me pude librar del peso de *Persona non grata*.

Mi primera observación quizá tenga que ver con esto. A pesar de que la literatura y la política pertenecen a una esfera diferente, hay una tendencia en la crítica y en el público a creer que es excepcional que una obra literaria tenga alguna relación con la política. Sin embargo, mi tendencia es pensar exactamente lo contrario. Tiendo a creer que la novela y el arte narrativo en general, y el arte dramático también, son géneros esencialmente políticos, pero políticos no en el sentido menor de la política, sino en el sentido más grande de la palabra. Son artes de las sociedades organizadas, de las ciudades y del ciudadano. Es decir, son artes narrativas que tienen una relación muy profunda con la vida política.

Por ejemplo, yo creo que por lo menos la mitad del teatro de Shakespeare es un teatro político, y que el teatro de

Calderón de la Barca es político, y que la novela del siglo XIX en su mayor parte es una gran novela política. Pienso que *La educación sentimental* de Flaubert es una novela llena de política, en el sentido profundo del término, y que la obra de Balzac es una obra de la memoria política. Es una obra que trata el tema de la restauración, de la revolución, pero también de la prerrevolución y lo que condujo a la revolución y la nostalgia del pasado político. Porque Balzac era un revolucionario, en el sentido de que era extremadamente conservador y estaba en desacuerdo con su tiempo. Su desacuerdo con el presente, con la sociedad burguesa que se formaba en Francia, le hacía ser un nostálgico de la monarquía. Después Víctor Hugo es un político en el más amplio sentido del término. Es un político en verso e, incluso, es poeta en épico y épico político, y *Los miserables* es una gran obra de protesta política.

En realidad, esa distinción que se suele hacer es un tanto artificiosa, sobre todo si uno piensa en la novela actual, la que podría llamarse la novela moderna. Un escritor tan sospechoso como Proust, que parece ser un escritor de la mayor intimidad, de la subjetividad más extrema, en realidad es un escritor político en un gran sentido, como voy a tratar de argumentar. Y si seguimos mencionando a escritores como Milan Kundera o Italo Calvino, llegamos a la conclusión de que son escritores políticos, y Mario Vargas Llosa es evidentemente un novelista en el que el tema de la política es un tema central.

Ahora, aludiendo a otra cosa pero relacionada con esto, mi impresión es que la profundización de la experiencia literaria conduce a una visión más libre, original y creativa de lo político y de la política, y que la condición previa para que un escritor escriba con independencia y de manera interesante sobre la política es que entre en zonas más o menos profundas de la experiencia literaria. No puedo hacer una disertación sobre la experiencia literaria, sobre la que se ha escrito tanto, pero podría apuntar por lo menos un aspecto, y es que se llega a lo literario y se hace la experiencia de lo literario desde cierto tipo de marginalidad. Nunca desde un acomodo con el orden social, sino desde una cierta posición marginal o excéntrica con respecto al orden social establecido.

Muchos grandes ensayistas y críticos y algunos escritores han intentado definir la experiencia de lo literario. Hace poco releí un maravilloso libro de Maurice Blanchot, *El espacio literario*, que es un intento de describir desde qué lugar se escribe; no por qué se escribe, sino que desde dónde se escribe. Blanchot siempre ve que, en el proceso que lleva a la escritura creativa, hay aislamiento, una separación con respecto al conjunto social, y después hay una entrada a un mundo que se caracteriza, por ejemplo, por el silencio, por un silencio más o menos enigmático y denso. Hay una relación entre la literatura y la muerte y, sin embargo, es curioso que esta profundización, este salir del mundo habitual y del mundo rutinario, cuando llega lejos lleva también a una visión de la política, es decir, a una visión de la sociedad.

Lo que no conduce nunca a la buena literatura es la visión superficial de la política, una visión dominada por las modas políticas, por los lugares comunes políticos, por el facilismo, por la mediocridad en la concepción de la política. Lo que nunca lleva a una buena creación literaria es no pensar de forma autónoma y someterse al conjunto de las ideas recibidas, por así decirlo, de los lugares comunes, de los tópicos, etcétera. Y esto ha sido enormemente habitual en nuestra época. Ha habido una especie de comodidad, de facilidad y de sumisión a los lugares comunes en gran parte del pensamiento literario y político. Pero los escritores que han sido o han llegado a ser escritores de forma auténtica, que han hecho todo el proceso de la literatura, a veces han llegado a una visión interesante y creativa de la política. En el siglo XX, Thomas Mann es un buen caso, y yo creo que Proust también es un ejemplo excelente y voy a explicar por qué.

Proust escribió muchos textos que en el fondo eran grandes autobiografías literarias, del estilo de lo que iba a ser *En busca del tiempo perdido*. Antes de comenzar esta obra, hizo viñetas, pastiches, crónicas, ensayos que eran en realidad ensayos narrativos y que estaban muy cerca de la novela. Su ensayo *Sobre la lectura*, por ejemplo, es una especie de narración sobre la atmósfera en la cual Marcel Proust empezó a leer. *Jean Santeuil* es un enorme ensayo autobiográfico frustrado, no conseguido. Sin embargo, hay un momento en que se produce un cambio profundo en su vida y escribe una obra maestra del siglo XX: *En busca del tiempo perdido*.

Es bien sabido que, antes de escribir ese texto, Proust era un hombre de sociedad, un hombre de salón, un esnob. Pero luego le sobreviene una experiencia política profunda, que es la del caso Dreyfus. Proust, que era judío y al mismo tiempo era un hombre mundano, conoce la historia de cerca y toma partido en favor de Dreyfus y en contra del antisemitismo de su tiempo, que era una tendencia muy poderosa en la sociedad francesa. Eso produce un efecto doble en él: por una parte, empieza a hacer la crítica de las cosas que anteriormente él aceptaba en la sociedad de su país. Comienza a hacer una crítica del esnobismo, que en el fondo es la crítica de su propia actitud, pero enseguida eso lo lleva al aislamiento, porque lo separa de los lugares que frecuentaba, y lo conduce a una soledad en la que él, repentinamente, descubre el resorte profundo de su obra. Por ejemplo, se sabe que después de la muerte de su madre, que se produce en ese periodo, Proust se aísla en una casa de campo, a una hora de París, durante más de un año. Y en esa casa de campo y durante ese año, en un momento que todavía no se conoce, escribe la primera frase de *En busca del tiempo perdido*: «Mucho tiempo he estado acostándome temprano», una frase que desencadena todo el proceso de la escritura.

Es evidente que en Proust hay una visión política, que se agrega a la visión puramente estética que él tenía de la literatura antes de ese momento. Esa visión política se combina con una cantidad de emociones muy difíciles de explicar y que no están bien historiadas, pero que tienen que ver con la muerte de su madre, con la separación del mundo social, con algunas situaciones de humillación que aparentemente tuvo que vivir en los salones que frecuentaba, de los cuales prácticamente fue expulsado debido de su militancia a favor del caso Dreyfus y contra el antisemitismo francés. Esa situación de aislamiento y soledad es la que lo convierte en un escritor interesante, en un escritor creador, en un gran escritor. Así que, con esto, yo intuyo que, en lugar de haber incompatibilidades o diferencias entre la literatura y la política, hay otra cosa: la gran experiencia literaria se identifica con la gran visión de la política, así como la experiencia literaria superficial conduce muchas veces a las visiones políticas mediocres, superficiales y oportunistas que hemos conocido tantas veces.

Conocí a Mario en el periodo en que terminaba de escribir *La ciudad y los perros*, empezaba a escribir *La casa verde*, leía apasionadamente a Flaubert o acaba ya de leerse a Flaubert y leía también a William Faulkner. Ese Mario que conocí era como yo mismo: un entusiasta más o menos ingenuo del marxismo, del leninismo, de Cuba, aunque no sé si tanto de la Unión Soviética, o de repente hasta de China. Éramos jóvenes entusiastas y algo irreflexivos. Sin embargo, lo que yo veo en ese Vargas Llosa es una lectura apasionada de lo literario y una defensa de lo literario que empezaba a situarlo en condiciones difíciles, porque la Revolución Cubana, como todas las revoluciones, se interesaba muy poco por la literatura. Era una revolución política y social. No era en absoluto una revolución literaria, y a veces, en algún momento, a pesar de la aparente militancia del Vargas Llosa de ese tiempo, se producía un conflicto entre lo que podía ser la disciplina política, o la utilidad política o la eficacia política, y la literatura en el sentido más profundo del término.

Es decir, la defensa de Flaubert hecha por un joven revolucionario cubano era sospechosa, porque Flaubert es un gran escritor de la individualidad y de la libertad frente al orden político. Y esa defensa tenía que producir una situación conflictiva. Así que, a pesar de que en una época Mario parecía un gran entusiasta de la Revolución Cubana, yo era más o menos escéptico en este punto, porque adivinaba el conflicto inevitable: que no se podía ser flaubertiano, faulkneriano o un escritor consecuente con esa visión de lo literario y al mismo tiempo ser un buen defensor de la revolución.

Creo que mi experiencia, que era bastante diferente, coincidía con la suya en algo: yo no podía continuar avanzando en mi proceso de maduración literaria y ser al mismo tiempo un buen funcionario de la diplomacia chilena. Igualmente, no podía profundizar en mi experiencia de la literatura y ser un miembro disciplinado de mi familia, porque en mi familia había un escritor que era poco mencionado, estaba mal visto y era sospechoso no por ser escritor, sino porque era jugador, por ejemplo. Se había jugado la herencia de una tía, y después había armado un escándalo en el casino y lo habían sacado con la policía. Así que era un tipo poco recomendable para la vida familiar. También era un escritor naturista, no era bohemio. Bebía jugos de fruta e iba todos los días a un lugar de Santiago que se llamaba El Naturista precisamente. Pero un día dejó de ir y más tarde se supo por qué: había tenido una tragedia personal muy grave. Entonces, la chica que lo atendía y servía su mesa empezó a visitarlo. Le hacía el aseo, le preparaba algo de comer, y terminó casado con ella. Como vemos, hizo un matrimonio que también iba contra la norma familiar. Y este es el tema de mi novela *El inútil de la familia*. Por tanto, ingresar a la literatura era asumir la marginalidad, y asumir la marginalidad, según yo iba descubrir después, me llevó a encarnar la crítica de ese mundo burgués en una primera etapa. Pero más adelante descubrí que ese proceso no se detenía allí y que había que pasar por una etapa que Octavio Paz llamaba «la crítica de la crítica». Y hacer «la crítica de la crítica» implicaba colocarse en situaciones solitarias, difíciles y combativas. Esa es la condición del escritor.

Después de escribir *Persona non grata*, fui exiliado de Chile. Pero ser exiliado del Chile de Pinochet era la mejor condición para un escritor, porque tenía unos pocos buenos amigos. Es decir, estaba aislado pero en buena compañía. Y estar solo y bien acompañado es lo mejor que puede pasar, sobre todo para un escritor, porque produce el tipo de concentración que es la situación ideal para escribir literatura. Así que haber vivido toda esa crisis política me dio una posibilidad de creación. Era vivir en una atmósfera adecuada para la creación literaria y también era una situación que agudizaba el conocimiento de la política. Y, cuando algo se conoce, todo lo que se conoce con profundidad pasa a ser interesante y a tener posibilidades creativas. Yo creo que en este aspecto hay un pecado mayor básico, que es el de traicionar ese tipo de conocimiento de la política, ese someterse a lo políticamente correcto, a la moda, a lo admitido, a lo aceptado, y no someterse tiene un costo. Y ese costo hay que pagarlo, porque de otra manera no se puede ser escritor y además deja de tener sentido serlo.

En mi opinión, una de las características del intelectual del siglo XX fue la tendencia, fuerte en muchos casos, a crearse cárceles mentales y a vivir encerrado dentro de esas cárceles que el propio intelectual se fabricaba. He conocido a personajes fascinantes en mi vida literaria que, sin embargo, en alguna medida, eran presos de esas cárceles mentales. Cuando escribí, por ejemplo, mi libro sobre Neruda, *Adiós, Poeta...*, dije bastantes cosas a este respecto. Bajo mi punto de vista, Pablo Neruda es el típico caso de un poeta con un talento absolutamente fuera de lo normal, con un talento deslumbrante que a veces se manifestaba, incluso, en su vida privada de manera extraordinaria. Porque Neruda, por ejemplo, era un hombre que jugaba en la vida privada, incluso era un poeta que compraba juguetes de niño y les daba cuerda, compraba unos monitos con orejas que se movían y se iluminaban y hacían ruido, y gozaba mucho con esas cosas. Y era un hombre que tenía invenciones en la vida cotidiana, muy brillantes a veces. Era capaz de versificar sobre cualquier circunstancia con una gracia superior. Y, sin embargo, también tenía una prisión mental, lujosa diría yo. Tenía una prisión bien amplia, bien instalada, bien acondicionada, con buenos muebles, pero era una prisión. En muchos casos, me decía: «Esto no se puede hacer, esto no se puede decir». Yo una vez le pregunté: «¿Por qué no se puede decir?». «Porque no tengo ninguna facilidad para ser un independiente», me dijo. En otra ocasión también me explicó: «Si yo digo tal cosa, *El Mercurio* se puede aprovechar de mí». Como vemos, era un hombre que vivía en un mundo acotado, lujoso, lleno de relaciones a través de los barrotes de su jaula porque hablaba con grandes personajes. Pero estaba acotado.

Cuando escribía *Persona non grata* y le contaba algunos episodios, él me decía: «Escribe eso, pero no lo vayas a publicar antes que yo te lo diga». Y, claro, llegué a la conclusión de que, si yo esperaba que él me dijera que ya podía publicar el libro, iba a morir esperando. Así que le entregué ese libro a Carlos Barral, mi editor de aquel tiempo, sin decirle una palabra a Neruda. Pero hubo un momento en que Neruda me dijo: «Pásame el manuscrito y te voy a subrayar con un lápiz rojo todo lo que no debes publicar». Yo pensé que iba a subrayar el noventa por ciento del libro, que no iba a quedar nada, porque él vivía en esa lujosa cárcel mental.

A pesar de esto, hizo esfuerzos por zafarse, pero eran esfuerzos casi perdidos y en cierto modo patéticos. Un día asistí a una conversación que he contado en otras ocasiones, pero la voy a repetir porque fue enormemente reveladora. En algún momento, Neruda confió en una apertura del sistema comunista desde dentro, y pensó que Nikita Jruschov iba a ser la persona de la apertura, que es la que hizo después Gorbachev. Después Nikita Jruschov fue eliminado del poder y, cuando murió, hubo un funeral completamente clandestino, indigno, que solo reunió a cien personas. A mí me consta que Neruda se sintió muy molesto y defraudado por ese funeral. En esos días, lo visitó un amigo suyo que era ministro de Educación en la Hungría comunista y tuvieron una larga conversación en la casa de la embajada chilena en París. Neruda le hablo del entierro de Nikita Jruschov, le dijo que la Unión Soviética de Brezhnev era muy burocrática y a su juicio muy reaccionaria, y que esa persecución a los intelectuales tenía efectos muy desagradables para los escritores comunistas de Occidente, como era su caso, porque siempre los atacaban a ellos. Por ejemplo, cada vez que había un golpe contra Solzhenitsyn le llegaba un palo a Neruda desde el otro lado. Neruda estaba molesto con esta situación y, después de una conversación de una hora sobre estos temas, el ministro húngaro, que parecía una buena persona, bastante liberal pero encarcelada también en su sistema, se sintió francamente agobiado. Entonces se puso de pie y le dijo en francés: «Pablo, el socialismo va a triunfar». Y Neruda también se puso de pie y le dijo: «Tú sabes, tengo serias dudas». Y eso que era embajador del socialismo de Salvador Allende.

En definitiva, Pablo Neruda era un hombre que comprendía, que tenía una lucidez extraordinaria, pero que estaba también maniatado por ese conjunto de compromisos que había adquirido en otra época y de los que no quería desprenderse. Y es posible que su literatura se haya resentido de eso. Porque yo creo que Neruda, en el final de su vida, quería recuperar el poeta lírico que había sido en su juventud e hizo algunos poemas extraordinarios, sobre todo en un libro que se llama *Geografía infructuosa*, que son poemas sobre el tiempo, sobre el trabajo humano y sobre la muerte.

He tratado el tema de la literatura y la política de forma muy desordenada y dispersa. Pero es un tema lleno de matices, lleno de complejidad, y que permite hacer una reflexión bastante seria sobre lo esencial de la literatura. Mi impresión, como he explicado, es que las distinciones habituales entre literatura y política son bastantes artificiales, porque la gran experiencia humana de lo literario conduce a una visión, a mi juicio, de lo político. A veces se produce una situación extrema, y es que, en determinadas circunstancias, un escritor o poeta llega a la conclusión de que no vale la pena escribir novelas o poemas líricos y que hay que dedicarse a la acción política real. Alguna vez lo dijo Jean-Paul Sartre y no lo hizo, pero lo dijo, y es posible que algún poeta realmente haya renunciado a ser poeta para hacer obras de solidaridad social o de ayuda. Justamente, en Montreal me encontré con un joven poeta canadiense que abandonó la poesía para dedicarse a hacer obras de ayuda solidaria en algunos lugares de África e incluso en Afganistán, antes de la guerra. Conversé con él y me pareció interesante su postura, aunque también me pareció clásica esa actitud de abandonar en algún momento el arte y convertirse en un hombre de acción. Al fin y al cabo, no es necesario que todo el mundo haga lo mismo. ¿Qué sería el mundo si todos fuéramos activistas sociales y si no hubiera poetas, pintores ni músicos? Sería un mundo mucho más pobre, y sería pobre tanto para un afgano y como para un norteamericano.

Tiendo a desconfiar de las respuestas fáciles en lo que se refiere a la literatura y la política, y creo que la literatura y la política son mundos mucho más conectados de lo que parece. Es cierto que la poesía lírica se escapa a veces de la política. Eso lo dijo también Sartre en *¿Qué es la literatura?*, y lo dijo de una manera quizá demagógica, pero argumentando ciertas razones. Sin embargo, hay grandes corrientes de poesía épica en la literatura del mundo que tienen que ver con la política. Por ejemplo, *La Ilíada* y *La Odisea* son grandes poemas que guardan relación con la vida política, con la guerra y con el poder.

* * *

Jorge Edwards (Santiago de Chile, 1931), narrador y periodista chileno, es abogado y se ha desempeñado como diplomático en París junto a Pablo Neruda (lo que narra en sus memorias *Adiós, Poeta...*, 1990) y en la Cuba de Fidel Castro (también en su libro *Persona non grata*, 1973). Sus novelas y cuentos siguen el modelo de la crónica y el realismo, y trazan vastos cuadros de la vida chilena en distintos momentos de nuestro siglo. Entre ellos, cabe destacar *El peso de la noche* (1965), *Los convidados de piedra* (1978), *El museo de cera* (1981), *La mujer imaginaria* (1985), *El anfitrión* (1988), *El origen del mundo* (1996) y *El sueño de la historia* (1999). En el año 2004 publicó *El inútil de la familia*, una ficción que recorre la vida de su tío Joaquín Edwards Bello. En 1994 recibió el Premio Nacional de Literatura, y en 1999 recibió el Premio Cervantes, la máxima distinción a un escritor de habla hispana. Recientemente ha ganado el Premio Planeta-Casamérica con la novela *La casa de Dostoievsky* (2008).

PODER Y MORAL EN *LA FIESTA DEL CHIVO*

Efraín Kristal

En *Julio César* de Shakespeare, hay un momento en el que Casio convence a Marco Bruto de que el destino de los romanos no está en manos de la fortuna, ni en manos de la suerte, ni en manos de los demás, sino en manos de ellos mismos. Los dos consideran que Julio César es un tirano y están convencidos, o se han convencido, de que de ellos depende de que Roma viva bajo el yugo de una tiranía o siga bajo la democracia de sus tribunos. Y Casio le dice a Bruto: «La culpa, querido Bruto, no está en las estrellas, la culpa está en nosotros mismos». Lo que viene a continuación es una meditación sobre el significado de esas palabras de Shakespeare en *La Fiesta del Chivo*, que analizaré en el marco de las novelas políticas de Vargas Llosa.

La Fiesta del Chivo es la obra más ambiciosa que Mario Vargas Llosa ha publicado en los últimos veinte años. En más de quinientas páginas, esta novela, que conserva su aliento e intensidad, trata el tema de la deshumanización de una nación que estuvo sometida al pernicioso yugo de un dictador. *La Fiesta del Chivo* es una indagación literaria de los efectos humillantes y desmoralizantes de una sociedad cuyos derechos políticos y humanos han sido atropellados por la voluntad de un individuo que ha ejercido el poder por medio del carisma, la intimidación y la corrupción.

La novela nos puede dejar un mal sabor de boca sobre la acción política, incluso en la actividad de aquellos individuos que asumen papeles decisivos en la transición de una dictadura a una democracia. Esto coincide con los dejos de escepticismo que el propio Vargas Llosa ha mostrado sobre las motivaciones ideales de muchos políticos profesionales y con los argumentos con los que condenó a Alberto Fujimori, como un dictador que comprometió a la democracia peruana. La política ha sido siempre una materia predilecta con la que Vargas Llosa ha elaborado obras literarias, pero no ha escrito sus ficciones para expresar ideas: «Nunca he querido usar mis novelas como un mero vehículo para expresar ideas políticas, pero sí creo que el hecho político, la experiencia política general, produce una serie de situaciones, de personajes psicológicos y anécdotas que para mí son sinceramente tentadoras desde el punto de vista creativo. Hay también una problemática política que, en el caso del Perú y de América Latina, tiene tal vigencia, tal dramatismo, tal gravedad, que es imposible prescindir de ella, o por lo menos para mí es imposible apartarla de mis preocupaciones y de mis ambiciones de escritor».

El método de trabajo de Vargas Llosa consiste en el uso y en la resolución de los materiales que ha usado para su imaginación: las fuentes de documentación que ha consultado para desarrollar un tema, las obras literarias que ha admirado, los intelectuales sobre los cuales ha reflexionado, la historia latinoamericana y las biografías de los individuos que ha conocido. En sus novelas, los personajes y situaciones inspirados en la política conviven con los inventados, y sufren los mismos cambios, amalgamientos y transfiguraciones que su autobiografía.

En la década de 1960, Vargas Llosa era un socialista convencido de que la violencia era un medio legítimo para conseguir la libertad y la justicia en el Perú, y esta era una visión que Vargas Llosa había compartido con estos escritores peruanos que lo alentaron a escribir un tipo de literatura comprometida. Sebastián Salazar Bondy fue uno de los escritores que más fe tuvo en el talento de Vargas Llosa cuando apenas había escrito o publicado un par de relatos, y José María Arguedas también lo alentó cuando leyó *La ciudad y los perros*. Arguedas le escribió una carta a Vargas Llosa en la cual expresó su emocionada aprobación: «Bien sabes cuánto me estimula [...] tu obra y tu conducta. Nos has resultado como esos hijos que llenan todas las expectativas de sus padres y verdaderamente les dan nueva vida». Y en otra: «Reconozco en ti, con gratitud y esperanza, a la juventud peruana y de nuestra América indígena. Ahí está nuestro fuego purificador, la invencible y verdadera rebeldía, porque están alimentados por la vida y la sabiduría».

En *La ciudad y los perros*, *La casa verde* y *Conversación en La Catedral*, Vargas Llosa trató el tema de una sociedad donde el precio del éxito es la corrupción y donde el fracaso es por lo tanto una condición de la moralidad, un tema que puede relacionarse con las tesis del marxismo revolucionario, según las cuales la sociedad capitalista solo se puede desmantelar por medio de los violentos. *Conversación en La Catedral* está situada en la dictadura del general Odría, y Vargas Llosa le dedica páginas memorables al sórdido aparato represivo de su mano secreta. Sin embargo, el dictador aparece solamente una vez en la novela, y podría no haber aparecido quizás porque en esa época Vargas Llosa estaba convencido de que no era el dictador, sino la corrupción que entonces vinculaba directamente el capitalismo, la que había que eliminar para establecer la justicia en el Perú.

El final de *Conversación en La Catedral* está consagrado a la transición de la dictadura de Odría, a la democracia que se establece con la elección de Fernando Belaunde Terry. Pero las elecciones no representan una solución satisfactoria para el protagonista de la novela. Santiago Zavala considera que el restablecimiento de la democracia en el Perú es simplemente un capítulo más en la historia de un país cuya corrupción para él es congénita al sistema económico que sigue vigente. Esta era también la posición pública de Vargas Llosa y de Sebastián Salazar Bondy, quien tuvo un papel decisivo en la formación literaria de Vargas Llosa y poco antes de la publicación de *Conversación en La Catedral* había hecho un análisis de la coyuntura peruana en vísperas de las elecciones que ganó Belaunde algunos años antes, que podía leerse también como una glosa del mensaje político de *Conversación en La Catedral*.

En la década de 1980, Vargas Llosa abandonó sus ilusiones socialistas y los mensajes políticos en sus novelas reflejaron esos cambios. Reconsideró, lamentó y repudió su convicción de que la violencia podía ser un medio legítimo y seguir fines políticos. Más aún, empezó a insistir en que la violencia de los que creen en utopías políticas representa una gran amenaza a la libertad individual y a la democracia de Latinoamérica, y contribuye al establecimiento de sociedades autoritarias en este periodo. Sus novelas mostraron desde muchas perspectivas el tema de la fragilidad de las sociedades latinoamericanas asediadas por fanáticos, oportunistas, políticos, así como por aquellos idealistas convencidos, como el propio Vargas Llosa una vez lo había estado en su juventud, que la revolución era necesaria para traer la justicia a las sociedades americanas.

En la *Historia de Mayta*, por ejemplo, Vargas Llosa examina las consecuencias nefastas de la violencia inspirada por ideales revolucionarios. Por cierto, *Historia de Mayta* no es una novela política en el sentido de que sí lo son las novelas políticas de José María Arguedas o incluso Aleksandr Solzhenitsyn, aunque prefiero aquellas novelas que denuncian la injusticia y la opresión del hombre por el hombre. *Historia de Mayta* es una novela política como son las novelas de Joseph Conrad y André Malraux, es decir, esas novelas que investigan y exploran los ambientes sociales y los estados psicológicos de quienes están dispuestos a legitimizar la violencia como un instrumento político o a matar por una idea, como en *La condición humana*. Vargas Llosa explora la intensidad emocional de los revolucionarios mientras preparan y efectúan actos subversivos y, como en *Bajo la mirada de Occidente* de Conrad, su antecedente más importante, explora los ambientes en los cuales se gestan las actitudes revolucionarias.

En *Historia de Mayta*, el modesto y fracasado conato revolucionario de Alejandro Mayta en Jauja es el inicio de un vórtice de actividad subversiva que lleva al Perú al borde de la desintegración. En el relato, un novelista se encuentra con Mayta veinticinco años después del conato revolucionario en el que había participado. Mayta es el individuo que inspiró una novela en la que está trabajando y en la cual ha exagerado y tergiversado la situación peruana en la década de los años ochenta, porque ha deseado imaginar el desmantelamiento de la sociedad civil en el Perú. En la novela, el Perú es un país en el cual se ha desencadenado la implacable guerra civil entre las fuerzas militares y paramilitares de derecha e izquierda y que está sufriendo además las intervenciones militares de las grandes potencias mundiales. En una conversación, el escritor le cuenta a Mayta que su novela, todavía en borrador, ha tergiversado también los datos que ha podido recoger sobre su vida. Al comienzo de la entrevista el narrador sufre una dura decepción, porque cree conocer la vida de su personaje con mayor lujo de detalles que el propio Mayta, que parece físicamente acabado y que desde hace años ha sido abandonado, repudiado y traicionado por sus antiguos colaboradores en los medios de izquierda. La reticencia de Mayta a las preguntas del orador recuerdan a otro personaje de Vargas Llosa, a don Anselmo de *La casa verde*, cuando rehúsa hablar del originario prostíbulo quemado años atrás que él supuestamente fundó, porque Mayta le habla al novelista como si su época revolucionaria fuera un capítulo no solamente cerrado, sino también olvidado de su vida. Pero el narrador descubre tarde, en la entrevista, que la reticencia de Mayta es nada menos que una postura que no se ha apagado en su fanatismo, que sigue dispuesto a participar en actividades subversivas, que se considera una víctima de sus circunstancias y que no ha dejado de creer en ninguno de los ideales que lo llevaron a intentar la subversión en 1958. En esta entrevista, Mayta afirma que la única diferencia entre la Revolución Cubana y la que él habría intentado, por modesta e insignificativa que le pueda parecer al novelista, es que Fidel Castro tuvo mejor suerte que él: «Esas cosas parecen imposibles cuando fracasan —reflexiona—. Si tienen éxito, a todo el mundo le parecen perfectas y bien planeadas. Por ejemplo, la Revolución Cubana. ¿Cuántos desembarcaron con Fidel en el Granma? Un puñadito, tal vez menos de los que éramos nosotros ese día en Jauja. A ellos les salió y a nosotros no».

Veinticinco años después de su conato subversivo, Mayta sigue creyendo que tuvo razón y que las circunstancias le hicieron una mala jugada. La reflexión de Mayta sobre su fracaso revela la dimensión de su fanatismo y demuestra la gran astucia de Vargas Llosa al situar el conato revolucionario de su personaje tres años antes del suceso histórico que lo inspiró, para que anteceda por meses a la Revolución Cubana. No es posible entonces justificar el optimismo prerrevolucionario de Mayta por el triunfo de Fidel Castro, y ello permite apreciar el fanatismo empedernido del personaje con toda su fuerza, con todo su patetismo. Mayta es un fracasado, pero no es un vencido porque sus experiencias no lo han llevado a abandonar sus convicciones. No es una figura trágica como la de Gisors, el profesor del marxismo de *La condición humana* de Malraux, después del fracaso de la Revolución de Shangai en la que murió su hijo, entre otros militantes comunistas que también eran discípulos suyos. En la novela de Malraux, afirma algo que Mayta no afirmaría: «El marxismo ha cesado de vivir en mí».

Historia de Mayta no es simplemente una fusionalización de un conato revolucionario con sus antecedentes. Es también la fusionalización de una obsesión literaria de un escritor que ha encontrado en la literatura quizás un paliativo a las mismas motivaciones oscuras que llevaron a su protagonista a creer que las ideas valen más que la vida. *Historia de Mayta* concluye abordando una dimensión de la vida que Vargas Llosa no exploró en sus primeras novelas: la del ser humano culpable de algún mal, que se enfrenta sin ilusión a las consecuencias de sus propias flaquezas, debilidades y delitos. Ningún personaje asume la responsabilidad por las debacles de las que fueron causantes. Mayta termina tan fanático al final de su historia como cuando empezó, y el narrador que creyó en la violencia para lograr fines políticos en su juventud ha volcado su propio fanatismo en una obra de ficción donde nadie pueda achacar ninguna responsabilidad moral a los productos de su ingenio.

Las novelas políticas de Vargas Llosa de los años ochenta invirtieron los temas de las novelas políticas de los años sesenta. Mientras que en los años sesenta los personajes literarios eran víctimas de la maquinaria de una sociedad corrupta, donde la libertad individual no viene al caso, en las novelas de los años ochenta la sociedad era representada como la víctima de la acción individual de personajes fanáticos. En los años sesenta Vargas Llosa estaba interesado por la corrupción de una sociedad por un sistema político y económico. En cambio, en los años ochenta dejó un poco ese tema de lado y se preocupó sobre todo por los individuos que pueden desestabilizar una sociedad.

Desde el punto de vista del tema político en la literatura, *La Fiesta del Chivo* presenta una especie de síntesis de los dos grandes periodos anteriores. Para explicar esa síntesis hace falta quizás primero decir algunas cosas sobre las preocupaciones políticas de Vargas Llosa cuando empezó a escribir la novela. Después de que el autor perdiera las elecciones en 1990, su visión política subsumió su crítica en las utopías de la izquierda bajo una crítica más amplia a los gobiernos que no respetan los derechos humanos de sus ciudadanos. En la década de los noventa, Vargas Llosa siguió condenando el terrorismo de movimientos como Sendero Luminoso, pero empezó a explicarlos no como causas, sino como síntomas de problemas más serios que acechaban al Perú. Empezó a atribuir la existencia de los grupos terroristas a la corrupción y al colapso moral de las autoridades políticas, militares y cívicas, que no lograron garantizar los derechos humanos de la población peruana en las regiones más marginadas de la nación. Es significativo que Vargas Llosa no interpretara la captura de Abimael Guzmán como un evento de mayor trascendencia, porque, en los primeros artículos en los que comentó el caso, insistió en que las condiciones que explican el surgimiento de dicho movimiento revolucionario no han sido resueltas por la sociedad peruana. Más aún, Vargas Llosa insistió en que las tendencias autoritarias de Alberto Fujimori eran precisamente las que contribuyeron a la violencia política y al terrorismo en el Perú.

Desde que perdió las elecciones en 1990, Vargas Llosa también se ha mostrado algo más pesimista en cuanto a las posibilidades de la política organizada: «La política real, no aquella que se lee y escribe, se piensa y se imagina —la única que yo conocía—, sino la que se vive y practica día a día, tiene poco que ver con las ideas, los valores y la imaginación, con las visiones teleológicas —la sociedad ideal que quisiéramos construir— y, para decirlo con crudeza, con la generosidad, la solidaridad y el idealismo. Está hecha casi exclusivamente de maniobras, intrigas, conspiraciones, pactos, paranoias, traiciones, mucho cálculo, no poco cinismo y toda clase de malabares».

La Fiesta del Chivo refleja la orientación política de Vargas Llosa. En esta novela, el autor regresa al tema de la sociedad corrupta, ese tema que había tocado con maestría en los años sesenta. Sin embargo, ya no se trata de una exploración literaria de las maquinaciones anónimas de un sistema social represivo. A diferencia de esas novelas, la acción individual sí que importa, como importa en las novelas en los años ochenta. Pero ya no es la acción humana de los fanáticos ni de los utópicos la que merma las bases de la estabilidad social. Se trata más bien de la acción en primera instancia de un individuo, el dictador, y en segundo lugar de un grupo de individuos que no pueden vivir consigo mismos por haber sido protagonistas de un régimen social totalmente corrupto. Finalmente, es una novela que refleja el creciente escepticismo de Vargas Llosa en torno a los políticos profesionales, porque los personajes responsables del regreso de la República Dominicana a la democracia son individuos astutos de poca profundidad moral que habían participado en el régimen del dictador.

Como en *Conversación en La Catedral*, en *La Fiesta del Chivo* el repudio del padre es el punto de partida de un examen: el fracaso de una sociedad. Sin embargo, las diferencias entre esas dos novelas son muy importantes. Santiago Zavala pudo mantener su dignidad cuando rechazó el mundo de su padre y optó por una vida mediocre. En *La Fiesta del Chivo* no hay tales superfluos: el régimen opresivo del dictador Trujillo parece que ha paralizado a un pueblo entero, y el magnicidio parece ser la única opción abierta para recuperarlo. Urania Cabral, la protagonista de la novela, es el personaje femenino más complejo y mejor logrado en toda la narrativa de Vargas Llosa. Su padre, un senador cercano a Trujillo, se convirtió en el desgarrado cómplice en la humillación de su propia hija.

La novela comienza cuando Urania vuelve a la República Dominicana después de una ausencia de treinta y cinco años, y termina cuando ella decide regresar a los Estados Unidos. Todavía tenía una carrera brillante, pero decide regresar después de una larga conversación con algunas parientes en la que revela las razones por las cuales abandonó su patria a los catorce años con ayuda de las monjas de su escuela católica. Sin duda, Urania sospechaba que Trujillo esperaba favores sexuales de las mujeres de sus hombres de confianza y que su propia madre pudo haber tenido relaciones con el propio dictador. Vargas Llosa da a entender también que Urania pudo haber sido violada, pero psicológicamente, por su padre cuando este aceptó que hiciera un regalo de virginidad a Trujillo. Esta primera línea argumental de la novela es una apuesta para abordar uno de los grandes temas de la literatura latinoamericana, cuyo principal antecedente es quizás la novela más importante de Venezuela, *Doña Bárbara* de Rómulo Gallegos. Como señaló Mariano Picón Salas cuando se publicó la obra de su compatriota: «El pueblo venezolano leyó en *Doña Bárbara* largos lustros de estancamiento dictatorial».

En *La Fiesta del Chivo*, como en *Doña Bárbara*, una niña inocente es violada, y esa violación es una alegoría de la opresión de un país entero por una dictadura. La segunda línea argumental de *La Fiesta del Chivo* trata de que, en los últimos meses de su vida, Trujillo está sufriendo las consecuencias de un cáncer a la próstata y ha perdido el apoyo político de antiguos aliados, entre ellos los Estados Unidos y la Iglesia católica. En la novela, Trujillo aparece como una persona de una brutalidad incondicional. En su caso, el patriotismo implica una especie de narcisismo porque considera que la República Dominicana es una extensión de su ser. Sus preocupaciones principales son el poder, la familia y su virilidad. Hacia el final de la novela, el desgastado dictador ruge de cólera por su impotencia y el narrador da entender que acaso está en comunicación con el propio diablo. Vargas Llosa retrata a Trujillo como una presencia casi diabólica a partir de la cual parece emanar el mal. Creo que la principal fuente literaria de la novela es un relato político de Jorge Luis Borges y Adolfo Bioy

Casares en cuyo título probablemente se inspiró *La Fiesta del Chivo*. Me refiero a *La fiesta del monstruo*, que se inspiró a su vez en dos clásicos de la literatura argentina: *El matadero* de Echevarría y *Facundo* de Sarmiento. En este relato un dictador ha logrado engatusar a una sociedad entera y, al igual que en *La Fiesta del Chivo*, en *La fiesta del monstruo* en un ambiente de dictatorial no es posible la neutralidad y nadie está a salvo de la violencia, las iniquidades y los estropicios de una dictadura atroz.

El tercer argumento de la novela trata del asesinato del dictador. Los conspiradores no son jóvenes idealistas, tampoco se oponen a Trujillo por razones ideológicas. No constituyen un grupo definido con claros fines políticos, y no podría ser así porque los servicios secretos de Trujillo han tenido éxito en su represión de toda oposición política a la dictadura. La mayoría de los conspiradores son hombres adultos que alguna vez estuvieron asociados al régimen de Trujillo y que representan un panorama de la sociedad dominicana (militares, beatos, hombres de negocios, inmigrantes, etcétera). No los une una ideología, sino el sentimiento de culpa por su previa sumisión a Trujillo. Participaron en el magnicidio como si se tratara de un acto de contrición para recuperar la dignidad que todos ellos perdieron cuando colaboraron con el dictador. Los conspiradores de *La Fiesta del Chivo* sienten asco de sí mismos, sienten nudos en sus estómagos, tienen pesadillas recurrentes, sienten vergüenza, tienen sus conciencias laceradas, se consideran viles a sí mismos. Hay un momento en el cual el narrador describe el proceso de degradación de uno de los conspiradores, que no cree en recuperar su inocencia, que siente la necesidad de actuar en contra del dictador a quien ha servido durante muchos años: «A él lo mató por partes, quitándole la decencia, el honor, el respeto por sí mismo, la alegría de vivir, las esperanzas, los deseos, dejándolo convertido en un pellejo y en unos huesos atormentados por esa mala conciencia que lo destruía a poquitos desde hacía tantos años». Uno de los mensajes morales de la novela está en la novela misma, cuando el narrador ingresa en la conciencia de otro conspirador para decir: «Había sido ese malestar de tantos años, pensar una cosa y hacer a diario algo que la contradecía, lo que lo llevó, siempre en el secreto a su mente, a sentenciar a muerte a Trujillo, a convencerse de que, mientras viviera, él y muchísimos dominicanos estarían condenados a esa horrible desazón y desagrado de sí mismos, a mentirse a cada instante y engañar a todos, a ser dos en uno, una mentira pública y una verdad privada prohibida de expresarse». El asesinato de Trujillo es un intento no solamente de revivirse a sí mismos por los crímenes y abusos en los que participaron, celebraron en público o toleraron, sino también un modo de redimirse por las humillaciones personales que cada uno de ellos sufrió hasta perder la dignidad.

El cuarto argumento de la novela narra la transición a la democracia de la República Dominicana gracias a las astucias de Balaguer, que sabe manipular la avaricia de la familia del dictador asesinado, así como los intereses de la administración de Kennedy, para desmantelar poco a poco el aparato represivo que Trujillo había establecido, y consigue el apoyo de la Iglesia católica, de la comunidad internacional y de la opinión pública. Balaguer es un personaje moralmente nulo. Fue un servidor sumiso de Trujillo, pero es también el hombre clave de la transición de la democracia. Nunca se opuso a la horrible tortura de aquellos conspiradores que fueron capturados por la policía secreta mientras el hijo de Trujillo todavía ejercía un poder en la República Dominicana después del asesinato de su padre, pero condecora a los conspiradores sobrevivientes como a héroes nacionales cuando ha logrado que el jefe de la policía secreta, Johnny Abbes, y la familia de Trujillo abandonen el país con millones de dólares. El pragmático Balaguer zonifica la observación de un personaje de la novela, que dice: «La política es eso, abrirse camino entre cadáveres».

Después del asesinato de Trujillo, el antiguo régimen dictatorial empieza a caer como un castillo de naipes y muchos de los que colaboraron con el dictador en contra de sus propias conciencias terminan como seres anulados. Este es el caso del padre de Urania Cabral, que permitió que su hija fuera abusada sexualmente por el dictador. La hemiplejia física del padre cuando se reencuentra con su hija representa sin duda la hemiplejia moral de los que toleraron los abusos del régimen. Y, a diferencia del senador Cabral, los que participaron en el atentado en contra de Trujillo sintieron el asesinato como una catarsis que parece revivirlos de su previa sumisión a la dictadura.

En la novela hay una experiencia catártica que es aún más significativa que la de los magnicidas. Se trata de la confesión de Urania, treinta y cinco años después de los hechos, en la que revela a su tía y sus primas que dejó su patria porque su padre permitió que Trujillo la violara. No todas sus parientes desean escuchar esta historia y los detalles que comprometían o que podían comprometer a algunas de ellas. Pero Urania se quita un peso de encima cuando cuenta su historia y siente que puede hacer las paces no con los padres, sino con los hijos de los parientes cuyas conciencias morales fueron paralizadas por la dictadura. Con ello, Vargas Llosa da entender que hace falta airear los trapos sucios para que la nación pueda reconciliarse con su propio pasado.

Antes de concluir, me gustaría hacer una breve reflexión sobre la literatura política en Latinoamérica. La literatura latinoamericana, no solamente la de Mario Vargas Llosa, ha diagnosticado sociedades enfermas, ha condenado los abusos de los poderosos, ha representado a los soldados y a los desposeídos. Pero, con la excepción de *La Fiesta del Chivo*, no ha empezado a tratar uno de los grandes temas de la literatura moral: el tema de aquellos individuos que se enfrentan a sus propias limitaciones humanas y, cuando se trata de individuos responsables, a los problemas morales y políticos que han empobrecido o envilecido sus relaciones humanas y sus vidas. Con *La Fiesta del Chivo*, Mario Vargas Llosa ha hecho una contribución mayor a la rica producción narrativa sobre las dictaduras latinoamericanas. Es la primera novela sobre un dictador que retrata el proceso mediante el cual un hombre fuerte logra corromper a sus colaboradores más íntimos, algunos de los cuales no pueden vivir ya consigo mismos por su participación en el régimen. Y es la primera novela latinoamericana que yo conozco que empieza a enfrentar de manera seria el problema de la literatura moral con el cual empecé mi texto: el tema de la culpa, que no se encuentra en las estrellas sino en nosotros mismos.

* * *

Efraín Kristal (1959) estudió literatura y filosofía en la Universidad de Stanford y en la Escuela Normal Superior de París y ha sido becario de la Fundación Humboldt en Berlín. Ha escrito numerosos artículos, así como varios libros, entre ellos *Invisible Work. Borges and Traslation* y *Temptation of the Word. The Novels of Mario Vargas Llosa*, y ha editado *The Cambridge Companion to the Latin American Novel*. Ha sido catedrático en los departamentos de español y de literatura comparada de la Universidad de California, Los Ángeles (UCLA), entre los años 2002 y 2005. Actualmente dirige la oficina de la Universidad de California en París.

VARGAS LLOSA O EL REBELDE ILUSTRADO

Carlos Alberto Montaner

Resulta afortunado que este congreso se titule *Las guerras de este mundo*. Todas las sociedades en épocas de crisis están enfrascadas en una suerte de guerra. Esas guerras no siempre tienen que ser sangrientas. También se libran en el terreno de las ideas, pero no por eso dejan de ser bruscas y apasionadas. De la Guerra Fría, por ejemplo, suelen recordarse episodios como Corea y Vietnam, pero se olvidan la batalla ideológica y el significado que en su momento tuvieron personas como Aleksandr Solzhenitsyn, Arthur Koestler o Albert Camus, o, casi siempre en la otra acera, Jean-Paul Sartre y el usualmente contradictorio Bertrand Rusell. Mario Vargas Llosa ha sido uno de los participantes clave en los conflictos ideológicos de nuestro tiempo. Sin quererlo, sin proponérselo, acabó convertido en una de las cabezas de los bandos en conflicto. Y es de ahí de donde se deriva su peso social, es decir, el que excede o sobresale estrictamente al literario. Mi propósito, pues, es tratar de entender su significado dentro de los códigos de esta guerra.

Por supuesto que se trata de un gran narrador, y si sirven de algo las clasificaciones tal vez pueda afirmarse que es el escritor latinoamericano que ha escrito las mejores novelas contemporáneas, pero esa jerarquía literaria no explica la importancia social que ha adquirido este singular personaje. Me di cuenta del fenómeno hace algunos años, cuando Mario era candidato a la presidencia de Perú, y un gobernante amigo me hizo una curiosa observación: «Ahora Mario estará a la altura de nosotros». Pero lo interesante era que no se refería a un aumento de su peso específico sino a su sustancial disminución. Ser presidente reducía su estatura, no la agrandaba. El político de marras entendía que era más importante ser el escritor Mario Vargas Llosa que el mandatario Mario Vargas Llosa, porque su condición de intelectual lo dotaba de una enorme influencia en la opinión pública, mientras ser el presidente de Perú lo colocaba en una posición de menor rango que encogía su impacto sobre la opinión pública. ¿Cómo había llegado Mario Vargas Llosa a adquirir esta relevancia en la cultura iberoamericana? A mi juicio —y es lo que intentaré demostrar a lo largo de estos papeles— encarnando un *role* clave en nuestra guerra de ideas: Mario es un «rebelde ilustrado». Su papel ha sido similar al que en el siglo XVIII jugaron Voltaire y Rousseau, o tal vez Víctor Hugo en el XIX.

La mención de Voltaire y Rousseau y la clasificación de Mario Vargas Llosa como un «rebelde ilustrado» merecen una reflexión tangencial. En los siglos XVII y XVIII se fue incubando la gran rebelión contra el orden establecido. Comenzó o se acentuó entonces el rechazo a la monarquía absoluta, al control moral que ejercía la Iglesia, y a los privilegios que detentaba la aristocracia. Los ilustrados, personas seducidas por la razón, no podían aceptar la legitimidad de un monarca que ocupaba el trono por la supuesta «gracia de Dios», o la autoridad de la Inquisición para imponer a sangre y fuego la ortodoxia religiosa. La rebeldía, pues, de los ilustrados no estaba fundada en las emociones primarias, sino en el conocimiento y la fuerza de las ideas.

Cuando Diderot comienza la hercúlea tarea de organizar la redacción de los veintiocho volúmenes de la *Enciclopedia*, lo que pretende es demostrar las bases que justifican la oposición al estado de cosas presente en Francia, y, en general, en Europa. Es decir, los ilustrados se enfrentan a las relaciones de poder vigentes en su época. Se enfrentan a una cultura, a un modo de entender la realidad. Desde la sociedad, retan el diseño del Estado, y proponen un nuevo modo de gobernar, de organizar la economía y hasta de hacer literatura, pues no puede olvidarse que algunos de aquellos pensadores fueron, además, muy exitosos y renovadores novelistas, como ocurrió, precisamente, con Voltaire y con Rousseau.

Los ilustrados forman, por otra parte, una densa red intelectual que lee, discute y absorbe el pensamiento ajeno. Probablemente Hobbes no se entiende si antes no se ha leído a Maquiavelo. Y John Locke, el más influyente, tampoco se explica sin el examen previo de los libros de Hobbes. Voltaire, Montesquieu, Rousseau, por su parte, fueron devotos lectores de Locke y Spinoza. Lo que quiero decir es que los espíritus rebeldes de la Ilustración compartieron los mismos libros y hasta circunstancias vitales parecidas, pues el enfrentamiento con el absolutismo de la época les llevó al exilio en numerosas ocasiones, fenómeno que contribuyó a enriquecer sus experiencias y a crear una cosmovisión alterna a la que sostenía la clase dirigente. Poco a poco, esta cosmovisión diferente parida por la Ilustración fue desplazando a la del «Antiguo Régimen», aun antes de desencadenarse la Revolución Francesa, pero después de 1789 se impuso arrolladoramente.

Este rodeo histórico no es gratuito. A mediados del siglo XX, cuando Mario Vargas Llosa es un adolescente peruano, en toda América Latina, incluido Perú, prevalece una cierta cultura que exhibe dos rasgos paralelos: es antidemocrática en el terreno político y estatista en el económico. La primera juventud de Vargas Llosa es la de Odría, la de Pérez Jiménez, la de Rojas Pinillas, la de Trujillo, la de Batista. En Centroamérica, todos los países, con la excepción de Costa Rica, son tiranías, y en el sur, salvo en Uruguay y Chile, ocurre lo mismo. Por aquellos años Perón es un héroe. Representa mejor que nadie la idea del Estado fuerte, nacionalista, antinorteamericano y redistribuidor de la riqueza. Perón es entonces una de las variantes más admiradas del revolucionario latinoamericano. Ha hecho añicos el Estado de derecho, pero a sus compatriotas eso no parece importarles. En ninguna elección —y Perón se presentó a tres— obtuvo menos del sesenta y dos por ciento de los votos. Contaba con dos elementos que fascinaban a los argentinos y, en gran medida, a los latinoamericanos: era un caudillo enérgico que aparentemente sabía tomar decisiones y venía a traernos la justicia. Se le atribuía «carisma», palabra que entonces no se utilizaba, pero que podía reemplazarse por «liderazgo».

¿Por qué los latinoamericanos caían rendidos ante los caudillos? Muy sencillo: porque no creían en la capacidad de las instituciones para solucionar los problemas comunes. La paradoja es curiosa: como se rechaza al Estado y se desconfía de los mecanismos democráticos para tomar decisiones correctas, se transfiere a una persona especial, a un líder iluminado, la facultad de razonar y actuar en nombre de todos. Se abdica, pues, en beneficio del caudillo, del derecho a pensar. Una vez encumbrado, es el caudillo quien piensa y actúa en nuestro lugar.

Era cierto que en aquellos años del siglo XX, junto al revolucionario Perón, fascista y autoritario, había opciones democráticas, pero las que había representaban propuestas socialistas, dulcemente vegetarianas, parcialmente enemigas de la libertad económica. El costarricense Figueres, el peruano Haya de la Torre, el venezolano Rómulo Betancourt se declaraban demócratas o socialdemócratas —y lo eran sin duda—, pero en esos tiempos esta etiqueta codificaba varias actitudes clave: creían en que el Estado debía ser el motor del crecimiento, suponían que esto se lograba con la redistribución de las tierras, las famosas reformas agrarias, y con la nacionalización de las industrias y servicios básicos, y sostenían que las sociedades modernas no podían arriesgarse a los peligros inherentes al desarrollo espontáneo de las fuerzas del mercado, pues resultaba mucho más conveniente la planificación llevada a cabo por expertos que asignarían los recursos de acuerdo con las necesidades de la sociedad, siempre identificados por bondadosos burócratas tocados de sensibilidad social.

En realidad los socialdemócratas latinoamericanos no pensaban de manera diferente a los ingleses del partido laborista, a los socialistas alemanes o a los franceses. Y tampoco se diferenciaban mucho del modelo que la derecha proponía, porque en aquella época estas ideas recorrían todo el espectro político. Eran ideas *transversales* que podían hallarse entre los recién creados partidos democristianos de la posguerra, entre los conservadores chilenos de Alessandri o en la retórica del PRI mexicano, entonces todavía bajo la influencia moral de Lázaro Cárdenas.

Ese era el mundo del adolescente Vargas Llosa, esa era la cultura política del joven escritor a la que vino a sumarse una variante extrema de la misma concepción revolucionario-estatista: en 1959, cuando Mario apenas tenía veintitrés años, Fidel Castro, que solo tiene treinta y dos, derrota a Batista y entra en La Habana al frente de un ejército de guerrilleros barbudos. Naturalmente, es el *desideratum*: en una sola persona se aúnan el caudillo revolucionario, el héroe militar, el campeón del antiamericanismo y —pronto se sabría— el mayor enemigo de la democracia y de la libertad económica.

En rigor, Fidel Castro no era un fenómeno excéntrico sino una consecuencia precisa de la mentalidad vigente en su tiempo. Si los latinoamericanos no apreciaban el modelo democrático de búsqueda de un arco político plural, división de poderes y soberanía popular delegada en los políticos electos, ¿por qué no suscribir de una vez el tipo de gobierno soviético de partido único y autoridad vertical ejercida por un caudillo desde la cúspide? Si era mejor y más justa la economía estatal, con Estados empresarios y burócratas planificadores, que el mercado y el desarrollo espontáneo de sociedades burguesas que respetaban la propiedad privada, ¿por qué no acudir directamente al sistema colectivista propuesto por los comunistas? En el terreno internacional, si era cierta la hipótesis que atribuía la pobreza de América Latina a la explotación imperial de Occidente, especialmente de Estados Unidos, ¿no era entonces justificado salir a combatir al imperialismo en todos los frentes de guerra?

Esta es la cultura política en la que se forman el joven Mario Vargas Llosa y docenas de millones de latinoamericanos. Se trataba de un complicado laberinto en donde todos los caminos, a derecha y a izquierda, conducían al rechazo a la democracia, a la censura a la economía de mercado y a la condena de las naciones punteras de Occidente. Esa cultura populista revolucionaria latinoamericana será calificada años más tarde con un nombre bastante certero: *el tercermundismo*. Era una cultura tercermundista.

No es de extrañar, pues, que el joven Vargas Llosa, políticamente inquieto, intelectualmente curioso, psicológicamente inclinado a formular juicios morales y a actuar de manera consecuente, se asomara al mundo ideológico, primero, efímeramente, como un aprista, luego como un comunista. En aquel momento de la historia latinoamericana era muy difícil ver el mundo de otra manera. Cuanto Mario Vargas Llosa leía, cuanto escuchaba, cuanto creía percibir, le confirmaban la visión revolucionaria tercermundista. En otras palabras: esa era la cultura dominante en sus años formativos. Pero junto al joven Vargas Llosa «reformador social» de izquierda había también un escritor en ciernes, inscrito en un mundo muy peculiar perfectamente articulado con el entorno político. Veamos cómo era esa dimensión literaria a la que se asomaba Vargas Llosa.

A mediados de siglo, cuando Mario Vargas Llosa comienza a escribir, la novela latinoamericana entonces en boga es en cierta medida una extensión de la cultura revolucionaria. Se escribe para denunciar atropellos y maltratos. Es la época en que se lee *Huasipungo* del ecuatoriano Icaza, *La vorágine* del colombiano José Eustasio Rivera, *Los de abajo* del mexicano Mariano Azuela. Es la época del peruano Ciro Alegría, acaso el mejor de todos, cuya novela *El mundo es ancho y ajeno* se convierte en un *bestseller* internacional y el drama de los indígenas y su lucha por la posesión de la tierra acaparan la atención de los lectores.

El indigenismo y el regionalismo están de moda, y los novelistas utilizan las reivindicaciones de los pueblos autóctonos, sus penurias e infortunios, para redactar sus obras literarias. El maestro Rómulo Gallegos, que escribe en un país, Venezuela, donde los indígenas son una pequeña minoría, acudirá a otro subgénero, pariente cercano del indigenismo: la novela rural. En ella también se lucha por la posesión de la tierra, como sucede en *Doña Bárbara*, pero los personajes encarnan actitudes muy antiguas ya explotadas por Sarmiento en el siglo XIX: es la lucha de la civilización contra la barbarie. Y para hacer aún más evidente el carácter alegórico de su creación, el personaje bronco y brutal, rústico y primitivo, se llama Bárbara, doña Bárbara. Al final triunfará la civilización. Gallegos era un hombre ilusionado y bueno.

¿Qué más hay en la literatura latinoamericana de los años mozos de Mario Vargas Llosa? Está Miguel Ángel Asturias, quien explora en *Señor Presidente* el siniestro universo del tirano Estrada Cabrera o el triste final del gobierno de Jacobo Árbenz en *Weekend en Guatemala*. Una es la novela del dictador, más tarde un género muy visitado, la otra es la novela del antiimperialismo. El entorno político y la visión ideológica dominan fuertemente la creación literaria de Asturias, no solo Premio Nobel, sino también Premio Lenin, dualidad que comparte con Pablo Neruda.

En general, la política domina la batalla ideológica, y hay un extrañamiento, una gran distancia, de las corrientes estéticas entonces pujantes en la literatura occidental. Joyce, Dos Passos, Faulkner son poco leídos y no parecen estimular la veta literaria de los escritores latinoamericanos. La experimentación en el lenguaje y en la estructura narrativa no figura entre las preocupaciones de unos novelistas obsesionados por los temas y por la voluntad de denunciar vilezas e injusticias. Es cierto que algún cuentista excepcional como Jorge Luis Borges, dueño de una prosa clásica colocada al servicio de unos asuntos refinados y cerebrales, escapa a esta caracterización rápida, pero la verdad profunda es que la cultura revolucionara tercermundista también se expresaba en una literatura revolucionaria tercermundista que reproducía la misma visión de la realidad y ratificaba los estereotipos más difundidos.

Es frente a este mundo, frente a esta cultura, que poco a poco Mario Vargas Llosa va rebelándose en la medida en que lee ciertos libros, aprende ciertas cosas, y, al trasladarse a Europa, comienza a adquirir una visión diferente. En Francia lee a Camus y a Raymond Aron y empieza a valorar la libertad de un modo distinto. Desprenderse del comunismo no le fue tan difícil. En 1956 Moscú había aplastado la rebelión húngara y ese acto brutal había provocado el rechazo de la intelectualidad más alerta. Los males de la Unión Soviética no provenían de Stalin, sino del sistema comunista. El genocidio de los húngaros lo había ordenado Jruschov, el supuesto aperturista, nada menos que tras el vigésimo Congreso del Partido Comunista, episodio en el que se habían condenado los crímenes y excesos del estalinismo. El Comunismo no tenía redención.

Ese debate, vigente en Europa, llegaba a América Latina con sordina. Hungría y la Unión Soviética estaban muy lejos. Camus, Aron, Revel, y antes de ellos Gide, eran nombres distantes que se rumoraban del otro lado del Atlántico. Pero Vargas Llosa estaba allí, en Francia, o en España, más cerca de esas voces. Sin embargo, todavía había una esperanza utópica para la izquierda. En Cuba se gestaba una revolución comunista en los sesenta, y sus simpatizantes creían que esta vez todo podía ser diferente. Cuba era una isla tropical, rumbera, no una siniestra pesadilla siberiana congelada por los hielos glaciares. Tal vez en Cuba podía darse el milagro de un comunismo no represivo, abierto y tolerante. Mario Vargas Llosa, como muchos intelectuales jóvenes de la época, creyó que eso era posible. Pero poco a poco, en la medida en que viajaba a la isla y conversaba con los escritores perseguidos, se fue dando cuenta de que resultaba improbable. El sistema fatalmente conducía a la opresión.

¿Por qué se encarcelaba a los homosexuales o a los Testigos de Jehová? ¿Por qué se perseguía a los poetas? En 1968 vino el mazazo de la invasión soviética a Checoslovaquia, y junto a esa infamia, otra que provocaría el desencanto de muchas personas con la Revolución Cubana: el apoyo público de Castro a este atropello. Finalmente, al filo de 1970, la detención de Heberto Padilla, su amigo, puso fin a toda ilusión con la Revolución Cubana. Mario Vargas Llosa y Plinio Apuleyo Mendoza, desde la oficina de la revista *Libre* en París, redactaron dos enérgicas cartas, luego firmadas por numerosos intelectuales, demandando la libertad de Padilla y censurando al Gobierno cubano por el proceso estalinista de fingida autocrítica a que el poeta fue obligado a someterse. Como antes había roto con la visión comunista, ahora Mario Vargas Llosa rompía pública y notoriamente con la fallida excepción cubana. Pero el saldo de ese truculento episodio no era totalmente negativo. En cierta medida, el caso Padilla fue una forma de liberar a Vargas Llosa, a Plinio Apuleyo Mendoza, a Jorge Semprún y a otros intelectuales de un compromiso político que se había vuelto insoportable. Era la oportunidad de romper. Ruptura, por supuesto, que lo pondría desde entonces y para siempre, desde la perspectiva tercermundista, entre los «enemigos del pueblo», para usar el término de Ibsen.

Este cambio crucial de la orientación ideológica de Vargas Llosa tuvo dos consecuencias importantes. La primera, es que se convertía, junto a Octavio Paz, en una figura señera del pensamiento democrático, y la segunda, es que para muchos latinoamericanos, pese a su juventud de aquella época, comenzaba a ejercer un raro magisterio moral. Unos amigos cubanos, entonces presos en Cuba por defender la libertad, me contaron una anécdota muy significativa: en el presidio de Isla de Pinos circulaba entre los presos un ejemplar de *Conversación en La Catedral*. Estaba mugriento de pasar de mano en mano. Por fin, en una requisa, un sargento carcelero con vocación de inquisidor encontró el libro, lo alzó sobre las cabezas de los prisioneros, gritó «este ya no es de los nuestros», y lo rompió en pedazos. Luego entraron clandestinamente al presidio otros libros de Mario, pero la forma en la que los presos lo leían había cambiado. Sabían que no solo era un gran escritor. Era, además, un hombre profundamente comprometido con la libertad, que no temía enfrentarse al aparato de difamación de la tiranía. De una manera secreta, sabían que aquel escritor era, además, un amigo. Mario Vargas Llosa, en fin, había roto con uno de los mitos del tercermundismo. Para él —como para Paz, para Plinio, para Jorge Edwards, para Enrique Krauze— resultaba claro que no había la menor justificación para liquidar la democracia o suprimir las libertades fundamentales.

Mientras Vargas Llosa se alejaba de la cultura revolucionaria en el orden político, en el literario ya había hecho exactamente lo mismo. Ni los conflictos rurales, ni el regionalismo, ni el indigenismo dominaban su obra. Examinaba con ojo crítico la cuestión social, como en *Conversación en La Catedral* o en *¿Quién mató a Palomino Molero?*, pero lo importante no era el mensaje, sino la realidad misma que ofrecían las novelas y los mimbres con los que habían sido construidas. Atento lector de Faulkner, Mario Vargas Llosa había descubierto que la multiplicidad de voces y de tiempos y de historias podía trenzarse en la imaginación del lector hasta aportarle una realidad nueva. Si Faulkner en *Mientras agonizo* podía mezclar las voces de quince personajes que intervienen cincuenta y nueve veces para contar, desde la perspectiva de cada uno, la truculenta historia del entierro de la obesa Addie Bundren, sin que el lector se extravíe en ese plañidero laberinto, ¿por qué no cruzar vidas y planos narrativos en *Conversación en La Catedral*? El tercermundismo no solo era una actitud política. Era también una estética literaria. Y si se rompía con el tercermundismo, con el populismo revolucionario, resultaba coherente romper con el tercermundismo literario. Mario lo hizo. Lo hizo conscientemente.

Plinio Apuleyo Mendoza cuenta con mucha gracia la historia de unos músicos argentinos que vivían en París de cantar canciones populares latinoamericanas secretamente odiadas, pero que eran las que los parisinos esperaban de ellos. Ante esta incómoda imposición de mercado, los argentinos se vengaban cantando en español una canción que los franceses no entendían, pero cuyo estribillo era «puta, qué feo es el folclore». Mario Vargas Llosa no quería ser un escritor folclórico latinoamericano, capaz de despertar el interés antropológico de la crítica, sino un gran escritor capaz de hombrearse con Faulkner, con Hemingway, con Malraux, con sus maestros, o de rebatir sin miramientos las ideas de Sartre. Es decir: su trinchera, la que había elegido, consciente o inconscientemente, era la del gran debate occidental, algo que incluía, pero al mismo tiempo trascendía, al limitado mundo latinoamericano.

Pero ese Mario Vargas Llosa que, a mediados de los setenta, había asumido los valores democráticos en el terreno político, y la estética de la vanguardia occidental más solvente en la literatura, todavía tenía una deficiencia: le faltaba una visión económica de la sociedad. Y era inevitable que así fuese. Cuando el joven Vargas Llosa se formó imperaba la teoría de la dependencia en cualquiera de sus variantes. Entonces reinaba Gunder Frank quien, desde el marxismo, explicaba el carácter subsidiario de las economías latinoamericanas, mientras la Cepal prescribía el nacionalismo económico para tratar de superar el subdesarrollo. Fue entonces cuando, gradualmente, Vargas Llosa comenzó a descubrir otros análisis, otros diagnósticos y otras propuestas. Comenzó a leer a Popper, a Berlin, a Hayek, a Mises, a Dough North. Supo de James Buchanan y de Milton Friedman. En 1975 recibió y leyó un libro clave de Carlos Rangel, *Del buen salvaje al buen revolucionario*, y comprobó cómo nuestro amigo venezolano se atrevía a decir lo que ya Mario barruntaba: que nuestro subdesarrollo era el producto de nuestra historia, de nuestros valores, de nuestra cultura.

No era honesto seguir imputándoles a los otros las responsabilidades propias. El *victimismo* era una forma de cobardía. Nuestra miseria no era la consecuencia del saqueo ajeno, sino el resultado de nuestro imperfecto modo de relacionarnos, del desencuentro entre la sociedad y el Estado, de la indigencia de nuestras ideas en materia económica. Rangel había escrito un libro insólito y Mario lo comenta con fervor. Pero todavía no se había despojado del todo de ciertas sospechas frente al mercado. Eso vendrá después, cuando finalmente comprende que las manipulaciones para corregir los efectos del mercado suelen fracasar porque quienes las llevan a cabo son personas que tienen sus preferencias, sus clientes, sus filias y sus fobias. No toman las decisiones fríamente y en el vacío, sino desde circunstancias personales y políticas muy concretas. Si un melancólico principio liberal nos dice que las personas —salvo casos muy contados— toman sus decisiones para satisfacer sus propias ambiciones y necesidades, ¿cómo pensar que cuando actúan y alteran el mercado lo hacen de manera diferente?

A fines de la década de los ochenta ya Mario Vargas Llosa ha completado totalmente su formación. Es un intelectual enfrentado al viejo orden populista / revolucionario / tercermundista. De pronto surge una coyuntura local. Es el gobierno de Alan García y se propone la nacionalización de la banca. Vargas Llosa reacciona velozmente. Se opone con razones, con argumentos, con ideas. La sociedad peruana sabe que es un novelista excepcional, pero súbitamente comienza a gestarse un movimiento político en su entorno. ¿Qué ha pasado? Lo que ha ocurrido es que Vargas Llosa se ha convertido en la cabeza de un nuevo modo de entender los problemas de nuestras sociedades. Por eso al inicio de estos papeles decía que era Voltaire, que era Rousseau, que era Diderot. Es el rebelde ilustrado frente al antiguo régimen.

En 1990, lanzada su candidatura a la presidencia y, muy cerca de alcanzarla según todas las encuestas, Mario convoca a una reunión en Lima. Yo vuelo desde Madrid, ilusionado con lo que está sucediendo. Acuden Revel, Krauze, Plinio Apuleyo Mendoza, Jorge Edwards, Miguel Ángel Rodríguez, hoy presidente de Costa Rica, Pedro Schwartz. Son tres docenas de escritores y periodistas. La reunión tiene dos aspectos: se trata de una forma de intentar contribuir a la victoria de Mario, y, también, la tácita admisión de que Vargas Llosa se había convertido en la cabeza de nuestra Ilustración liberal y libertaria frente al Antiguo Régimen populista / revolucionario / tercermundista.

Ahora se explica mejor quién es Mario Vargas Llosa en el mundo contemporáneo latinoamericano: es la cabeza, insisto, de un modo de pensar. Es el mejor portavoz de la buena nueva liberal, tan vapuleada por los neopopulistas empeñados en desacreditar la libertad económica. Es quien con mayor fuerza y éxito ha atacado al viejo orden de cosas, esclerótico y polvoriento, como suele adjetivarlo Plinio, pero todavía, lamentablemente, vivo y coleando.

Odio hablar de frases lapidarias —las que se inscriben en las lápidas— pero algún día, probablemente dentro de cincuenta años, dada la disciplina atlética de Mario y de Patricia, y dado el anual Ramadán marbellí al que se someten —un mes de ayuno—, lo que les augura una larguísima vida, algún día, repito, habrá que buscar esa frase lapidaria. La de «rebelde ilustrado» me parece perfecta. Ha sido el primero de todos nosotros. El que encabezó la lucha en esta particular guerra política de nuestro mundo latinoamericano. No hemos alcanzado la victoria, y tal vez no la alcancemos nunca, pero ha valido la pena estar en la batalla. Los caballeros, decía Borges, solo defienden causas perdidas. Eso no importa. Ha sido hermoso estar en las trincheras.

* * *

Carlos Alberto Montaner (La Habana, 1943) es escritor y periodista. Ha sido profesor universitario y conferenciante en algunas instituciones de América Latina y Estados Unidos. Es autor de varios títulos, entre los que destacan los ensayos *Doscientos años de gringos*, *La agonía de América*, *Libertad, la clave de la prosperidad*, *No perdamos también el siglo XXI* y *Viaje al corazón de Cuba*. Es coautor de *Manual del perfecto idiota latinoamericano* y de *Fabricantes de miseria*. Como narrador, ha publicado las novelas *Trama* y *Perromundo*. Su libro *Las raíces torcidas de América Latina* es una de las mejores interpretaciones históricas de Latinoamérica. Ha sido traducido al inglés, italiano, portugués y ruso. Semanalmente varias docenas de diarios de América Latina, España y Estados Unidos reproducen su columna periodística. La revista española *Cambio 16* lo ha calificado como «el columnista de mayor divulgación en lengua española».

LATINOAMÉRICA EN LA OBRA DE VARGAS LLOSA

Plinio Apuleyo Mendoza

Si hay una obra que merezca un examen en todas sus infinitas y riquísimas facetas y variables, esa es la de Mario Vargas Llosa. Yo creo que son muchos los escritores que le han servido de modelo. Todos conocemos que en su época juvenil tuvo una enorme devoción por Sartre, lo que le valió de sus amigos Luis Loayza y Abelardo Oquendo el apodo de Sartrecillo Valiente. Sabemos también ese descubrimiento que hizo de la obra Joan Martorell, *Tirant lo Blanc*, autor al que integra en el grupo de lo que ha llamado los suplantadores de Dios, los deicidas. Desde luego, le debe mucho a Faulkner en su desmesura, en su voracidad narrativa, en la manera de recrear todo un mundo, un mundo ciertamente parecido al nuestro, con todos los fantasmas que lleva a cuestas. Sobre todo, ha reconocido la influencia de Flaubert en su juego muy rico de perspectivas narrativas, en ese sentir tan moderno de la objetividad y la manera de atrapar la realidad, de recrearla, de exaltarla, de modo que una pequeña historia trágica de provincia —la muerte de una dama adúltera— puede convertirse en una historia inolvidable, de una intensidad imperecedera. Esa dama, recreada y exaltada por su propia imaginación, se convierte en ese personaje fascinante de Emma Bovary, de la cual Mario ha confesado que se considera enamorado, y este ha sido para todos nosotros uno de esos amores platónicos de la literatura. Y, desde luego, también somos conscientes de lo mucho que le debe a Tolstoi, porque uno no deja de leer *La guerra del fin del mundo* sin pensar en *La guerra y la paz*, en ese aliento y esa capacidad de diseñar un gran fresco en torno a un acontecimiento histórico, de recrearlo.

Supongo que habrá muchos otros suplantadores de Dios entre sus vocaciones, entre los autores que han influido a Mario. Resulta inevitable hablar de Dickens, de Conrad, probablemente de Joyce. Pero, a la hora de examinar la obra de Vargas Llosa, me parece que en su conjunto no se puede evitar la comparación con Balzac. Yo pienso que Mario es un Balzac de nuestro mundo, porque hay en él el mismo afán totalizador que tenía el gran escritor francés. Balzac decía que no se puede ser un gran novelista sin haber escarbado a fondo todos los rincones de la vida social, y ha dicho también que la novela es la historia íntima de las naciones. En el caso de Mario, habría que decir que es la historia íntima no solamente de una nación, sino de un continente entero, de nuestro continente. Cuando él habla de Lima, en *La ciudad y los perros* o en *Conversación en La Catedral*, esta antigua ciudad virreinal, elegante y pecaminosa que debió perturbar al libertador Simón Bolívar, convertida en otra cosa hoy —en ese desaforado punto de convergencia de un país con todas sus pasiones, con todas sus miserias, con todos sus contrastes, con sus pueblos jóvenes, con sus bajos fondos, con sus prostíbulos, pero también con su alta clase social, sus niños bien, sus arribistas, sus bohemios—, también nos está hablando de otras ciudades. Está hablando de mi ciudad, Bogotá, está hablando de Caracas, está hablando de México, de esas metamorfosis que han sufrido nuestras capitales y de las cuales nosotros hemos sido testigos. La gente de mi generación recuerda una Bogotá muy distinta a la de hoy, una ciudad de trescientos cincuenta mil habitantes con unos tranvías que pasaban muy lentamente por las calles, con unas campanas que sonaban al mismo tiempo en el crepúsculo, y que hoy en día es una sociedad terrorífica de siete millones de habitantes, una ciudad a la cual llegan cada mes nada menos que cuarenta mil emigrados del resto del país huyendo de una guerra. Hoy es una ciudad muy peligrosa, una ciudad que, en un fin de semana, puede registrar más muertos que los que registró la guerra del Golfo, por ejemplo. Caracas, que era una ciudad casi rural cuando yo la conocí, con ese capitolio en medio de los árboles, con un ruido en las noches que era todavía un ruido de campo, es ahora una ciudad llena de tensión. Y no digamos Ciudad de México.

Yo creo que cuando Vargas Llosa profundiza en ese mundo suyo, el mundo del Perú en sus novelas, el mundo de Lima, está hablando también de nuestros mundos. Ha asistido a la metamorfosis de esa sociedad, que era una sociedad rural a comienzos del siglo pasado y que terminó siendo una sociedad y un país eminentemente urbano, pero terriblemente conflictivo. Cuando nos habla además de que, al mismo tiempo y al lado de ese mundo, existen esas trastiendas selváticas y nos pinta los aventureros, los indígenas, las misiones y los puestos militares, ese mundo también es el nuestro. Es el mundo de la selva amazónica de Colombia, Brasil y Venezuela. Asimismo, todos hemos conocido de jóvenes esas metáforas del pecado, producto de una imaginación adolescente. Por ejemplo, en Barranquilla tuve oportunidad de conocer «la casa verde» de allí, que se llamaba «la casa de las muchachitas que se acuestan por hambre» y que tiempo después sería prácticamente un lugar folclórico. Después la encontré en la novela de mi compatriota García Márquez, en *Cien años de soledad*. De modo que ese es un mundo común. En el mundo de los periódicos y las radios, ese mundo de las radionovelas que hoy es el mundo de las telenovelas y de los periódicos con sus reporteros judiciales, yo veía esos personajes que encontraba en *Conversación en La Catedral* y que tenían exactamente su réplica en Colombia o en Caracas, donde yo trabajé también como periodista.

Desde luego, también encontramos el mundo de las dictaduras, el mundo de *Conversación en La Catedral* y de esa soberbia novela que es *La Fiesta del Chivo*. Todos nuestros países han rozado ese mundo de las dictaduras, y todos han tenido nuestros Cayos Bermúdez, esos personajes oscuros que de pronto llegan a tener un poder enorme y que ascienden porque se convierten el un instrumento eficaz de una dictadura. Yo he conocido algunos de ellos en otros lugares. Recuerdo a Pedro Estrada, que vivió en Venezuela en la época en que realmente todos le temían, en la época en que nadie estaba seguro al hablar de política en la redacción de un periódico, en un ascensor o en un taxi porque tenía una red de informantes que abarcaba todas las ciudades y en cualquier parte temía uno encontrar los oídos de Pedro Estrada. Naturalmente, este personaje desaparece cuando la dictadura se resquebraja. Tiempo después lo encuentro en París, y ese oscuro policía tropical del oriente venezolano, de una pequeña población llamada Güiria, aparece convertido en una especie de hombre elegante que le hablaba a uno de Camus, cosa sorprendente en un policía. Recuerdo haber ido a su casa y haberle llevado a mi amigo Teodoro Petkoff, que había sido guerrillero y dirigente del MAS. Encontramos una casa muy elegante, con gran lujo. Con manteles y vino, y en un momento dado la mujer de Estrada, que era encantadora, le dijo: «Teodoro, ¿alguna vez los muchachos de Pedro te molestaron?». Y él le contestó: «Sí, doña Alicia, me pararon en el *ring*». Era una de las torturas más usuales, parar a los detenidos en el *ring* de una llanta, y supongo que es una situación sumamente inconfortable. Entonces Pedro Estrada añadió: «Esos muchachos locos siempre van más lejos de lo que uno quiere».

Esos son los personajes que Mario atrapa y que pertenecen a todo nuestro mundo. Desde luego, hay un personaje que a mí me fascina, que es el personaje de Zavalita. En mi opinión, todos hemos sido Zavalita un poco y también hemos tratado de no serlo, de huirlo. A mí me parece apasionante ese personaje que ha coexistido con nosotros, porque es el personaje que no se integra a un mundo, al mundo de su padre, y lo rechaza. Pero tampoco lo puede superar a través de la creación artística, ni a través de una acción política cualquiera, sino que se va hundiendo en una especie de bohemia como única expresión de su rechazo y frustración, que se identifica con la frustración del país. Hay una expresión del personaje que se escucha frecuentemente: «¿Cuándo se jodió el Perú?». Cuando uno oye esa expresión, se da cuenta de que, efectivamente, el país merece ese calificativo, obviamente como lo merecen el resto de nuestros países. Hay un Perú jodido, hay una Colombia jodida y hay una Argentina y una Venezuela jodidas. Es decir, realmente hay un continente que podría tener ese apelativo y que produce esa clase de personajes que después, con el tiempo, se hunden poco a poco en una bohemia llena de escepticismo y de desengaño. Se trata de un personaje muy nuestro, producto de nuestras sociedades que no ofrecen salida alguna. Y Mario lo encontró a través de la creación literaria.

Mario supo que había que agredir ese mundo al recrearlo. Y, en ese ejercicio, logra realmente hacer un acto muy saludable insurrección, al plasmar el mundo de los cuarteles, de los militares y también de los que quieren sustituir esa sociedad minada por la corrupción y por el oportunismo, esa sociedad sin salida. Para ello provoca un anticuerpo, que es la gente que cree que hay que hacer una revolución porque hay que cambiar ese mundo a través de una revolución armada, que es lo único radical y posible en países que aparentemente no tienen salida. Ese es el mundo de Mayta, y todos hemos tenido Maytas alrededor nuestro, e incluso a veces los hemos visto partir a la guerrilla y han muerto. Y, si no han muerto como ocurrió con mi amigo Camilo Torres, han sobrevivido, y esto es todavía peor porque se convierten en unos déspotas terribles. La otra cara de ese personaje, en el caso de Colombia, es el cura Pérez, un sacerdote que llega empujado por la misma idea, por esa idea de que no hay otra salida que la salida revolucionaria, y termina convertido en un ser terrorífico, que propicia atentados a oleoductos, a torres eléctricas, sembrando de minas unipersonales o quiebrapatas, como los llaman en Colombia, a las poblaciones que no quieren apoyar a la guerrilla y deja a mujeres y a muchachos sin piernas. Por ese camino, poco a poco, se puede llegar a los peores horrores, y nosotros los estamos viviendo en Colombia.

En estos momentos, no encuentro novela más actual para ilustrar lo que está ocurriendo en el mundo que *La guerra del fin del mundo*. El Conselheiro es una réplica de Bin Laden. Comparten la misma ceguera, el mismo fanatismo religioso, la misma idea de que frente a los herejes y los infieles cualquier arma es perfectamente legítima. Yo creo que esta novela es un anticipo, a pesar de ser la crónica de algo que ocurrió a fines del siglo XIX en el Brasil, y es también un espejo de lo que estamos viendo hoy en el mundo. Ahora bien, tal vez sería bueno preguntarse cómo consiguió Mario llegar a hacer la crónica de nuestro mundo y nuestra sociedad de una manera tan total, donde prácticamente no ha dejado fuera nada de lo que nos pertenece. La respuesta, y esto hay que ponerlo con mayúscula, es la Vocación, un elemento esencial porque alguna vez le escuché a mi amigo y compatriota García Márquez la expresión de que hay hombres que tienen talento pero no tienen vocación.

Efectivamente, nuestras sociedades están llenas de hombres talentosos, de personas que habrían podido ser muy buenos poetas o escritores pero que finalmente no lograron articular y construir su vida alrededor de esa vocación. Mario mismo ha dicho que la vocación es ante todo una pasión, y una pasión que no puede ser compartida —y estas son sus palabras—, de la misma manera que no se puede amar a una mujer y pasarse la vida entregado a otra. Es una pasión total, una pasión tiránica, y hay que asumirla. Ahora bien, ¿cómo nace una vocación? Nace precisamente del desfase de un hombre con su mundo. Es una forma —como explica él también— de insurrección permanente, es la necesidad de reflejar ese mundo y al mismo tiempo de suplantarlo. Por eso dice que las sociedades felices son improductivas literariamente. Sus biógrafos señalan que de donde hay menos huellas literarias de su propia biografía es de sus años pasados en Cochabamba, porque fueron años felices y sin tensiones. Es decir, el novelista nace del choque contra una realidad brutal, que fue el ingreso de este muchacho en el Leoncio Prado, de la brutalidad de un mundo siniestro, y de ese choque naturalmente sale su vocación. Recuerdo que una vez, estando aquí en el Perú, tuve mucha curiosidad de conocer el Leoncio Prado. Mario me paseó por la Lima de sus novelas, y al final me dijo: «Bueno, aquí no te puedo acompañar. Yo no puedo entrar, no me dejan entrar». Entonces le dije al oficial de guardia: «Soy un turista colombiano, y quisiera conocer este famoso instituto que tiene mucha fama en todas partes. A ver si usted me deja entrar…». Me dio permiso sin el menor problema y entonces se me ocurrió agregar algo más: «Pero tengo un amigo, también turista, que está conmigo.

A ver si usted permite que lo visite…». «Cómo no, que entre el amigo también», contestó. Y, paseando por ese horrendo lugar, junto a un mar siniestro, me pareció todo tan sórdido que lo único que yo podía decirle a Mario, y se lo dije en francés para que no lo entendiera el soldado que nos acompañaba, era: «¡Qué mal novelista eres!», porque me parecía incluso peor que lo que yo había leído en su libro.

Sin embargo, conquistar, amansar y conservar esa vocación requiere —como él explica también— una empecinada asiduidad, casi rabiosa, que hace del escritor un verdadero esclavo. Yo creo que hay dos elementos que son claves en un escritor, que son un gran reto pero también una estrategia de vida distinta a la de cualquier otra persona que quiera tener seguridad. En primer lugar, tiene que afrontar la inseguridad en los primeros años. He seguido muy de cerca esa aventura personal de Mario y he leído lo que él mismo cuenta. También seguí muy de cerca la de García Márquez y veo que, para asumir esa vocación tiránica, tiene que ocurrir el riesgo de la terrible inseguridad, de ganarse la vida de cualquier manera sin perder nunca el objetivo. Y eso no se hace sino con una voluntad de hierro como la que tiene Mario. Por algo en Barcelona Carlos Barral e incluso el propio García Márquez lo llamaban «el Cadete», aludiendo a esa disciplina que tenía. Tal vez la demostración más grande que yo le he visto de esa disciplina es que, así como se imponía horas para escribir, se imponía también las horas para jugar tenis. Recuerdo que una vez, en pleno invierno, salió a jugar tenis en *short*. Era una barbaridad hacerlo con una temperatura de tres grados bajo cero, pero jugaba su hora de tenis exactamente de la misma forma que tenía que escribir un capítulo.

Este es un ejemplo para todos los escritores que se inician y tienen esa vocación. Porque lo que ocurre con nuestros artistas y escritores es que entran en un camino de transacción —tengo que ganarme la vida, tengo que aceptar este puesto, tengo que aceptar esto y lo otro—, poco a poco se van llenando de compromisos y finalmente su vocación y su oficio de escritor van quedando relegados. Con ello, fomentamos un ser más o menos frustrado que generalmente termina alimentando una gran envidia y un gran resentimiento contra los escritores que han triunfado. Uno siempre encuentra esa frustración a flor de piel, una frustración que se expresa en este mundo, un poco venenoso, que es a veces el mundo de nuestros artistas y de nuestros escritores cuando se quedan al margen del éxito.

Ahora bien, poniendo de lado la vocación, cuando uno explora la obra de Mario se da cuenta de que el punto de partida del libro es eso que él llama «los demonios», ese elemento no racional y racional que está avivado por esas obsesiones, travesuras e impulsos absolutamente inexplicables que son los que determinan el rumbo de una obra. En apariencia, el punto de partida de un libro siempre es muy casual, pero detrás de eso está ese fantasma, ese demonio, esa obsesión. Como él dice, también es cierto que las novelas —no hablo de los ensayos— se escriben con las obsesiones y no con las convicciones. El que quiere escribir una novela a partir de una concepción para demostrar una tesis seguramente escribirá una mala novela. Por eso hay que respetar a ese diablo, ese fantasma. Yo he dicho a veces que las novelas las escribe el diablo, porque nadie sabe el rumbo que va tomando de pronto un libro o la razón por la cual hay que escribirlo. Pero con ese demonio a bordo viene un trabajo de construcción, que a mí también me ha fascinado seguirlo de cerca en la obra de Mario, porque allí se alimenta también de lo vivido. Se trata de una realidad que en un principio sirve simplemente de base, pero después sufre un proceso de metamorfosis, de maquillaje, hasta el punto de que finalmente ya tiene poco que ver con la realidad que sirvió de punto de partida. Y está lo vivido, desde luego, pero también lo visto, lo oído, lo leído. Repasando el libro de José Miguel Oviedo, me doy cuenta de que, por ejemplo, en *Los cachorros* se basa en la experiencia de su colegio, La Salle, pero también hay una historia leída por casualidad en un periódico y lo que se pudo vivir alrededor del colegio donde tiene lugar la novela.

La artesanía del oficio es algo también muy importante. Lo que yo admiro es que, junto a ese elemento irracional, ese elemento obsesivo y esa metamorfosis de la realidad, hay un trabajo de artesano: el trabajo de investigación. Por ejemplo, la investigación que debió suponerle todo lo que es la dictadura de Trujillo —haber vivido allí, haber entrevistado una gran cantidad de gente, haber recopilado historias—, o la labor que hizo sobre Flora Tristán con los desplazamientos a Francia y a Tahití, o la visita al *sertão* de Bahía para ambientar *La guerra del fin del mundo*. Hay un trabajo enorme de investigación que le da un gran soporte a su obra. Y luego naturalmente está la búsqueda de formas narrativas. Todas esas yuxtaposiciones de diálogos, esas combinaciones rítmicas, esa manera de trabajar —seguramente inspirada en *Las palmeras salvajes* de Faulkner—, con la tensión narrativa que pasa de una historia a otra, como dos relatos que se retroalimentan y que se pueden apoyar perfectamente el uno en el otro, eso es lo que José Miguel Oviedo llama el nivel retórico de la novela, por ejemplo el nivel objetivo y el nivel subjetivo en *La casa verde*. Ese entreverar los elementos objetivos y subjetivos es realmente un aporte extraordinario que Mario ha hecho a la novela, a la novela Latinoamérica y a la novela como género de ficción en cualquier parte del mundo.

Por supuesto, también está ese trabajo inicial que él llama «el magma», que es esa recopilación que puede llegar a alcanzar las mil quinientas o dos mil páginas de un libro. Tras esto, viene un proceso de decantación y de reducción del libro, que me hace pensar en una frase que dividía el mundo entre los escritores que eran sacadores y los metedores. Dentro de los metedores están esos desmesurados escritores como Faulkner, que tiene por momentos novelas desorganizadas pero finalmente resultan de mucha validez, a pesar de que seguramente habrían merecido un trabajo de poda. Al mismo tiempo, en el lado opuesto están los escritores que, a base de perfilar y de sacar, logran cosas muy precisas; aunque esto puede dar como resultado obras que no llegan a ser grandes novelas porque, con este proceso de perfeccionamiento, se pierden muchos elementos en el punto de partida. Pues bien, en Mario yo encuentro la síntesis de esos dos tipos de escritor, porque es metedor en su punto de partida y sacador después. De este modo, si no existiera el trabajo inicial, ese magma enorme, seguramente la novela no tendría la misma dimensión, pero el resultado es una obra en que la construcción es muy sólida. Sin lugar a dudas, es un gran ingeniero narrativo.

No quiero terminar sin recordar también la gran labor de Mario Vargas Llosa como ensayista político, donde en primer término entran a jugar sus convicciones. Probablemente sean obsesiones, pero ante todo prevalecen esas convicciones. Yo creo que él ha seguido el itinerario de nuestra generación. Cuando éramos jóvenes, todos incurrimos en la ilusión de creer que el socialismo era una solución. Porque, en nuestra generación, lo que nos tocó vivir de jóvenes fue un panorama horrendo de dictaduras militares apoyadas por los Estados Unidos, y naturalmente tendíamos a pensar que el enemigo de ese sistema, que combatía a los que apoyaban esas dictaduras, era la alternativa ideal para nuestros países. Se había creado una gran ilusión alrededor de esa alternativa, aunque si se mira con perspectiva surgen una serie de preguntas. ¿Cómo es posible que nosotros en los años sesenta estuviéramos pensando en el socialismo como una solución ideal cuando ya había hecho su tránsito horroroso por la realidad, cuando ya habían ocurrido todas las cosas que ocurrieron en la Unión Soviética en los años treinta, el estalinismo, las purgas, etcétera? Vivíamos en medio de una enajenación.

Poder rectificar es extraordinario. La Revolución Cubana, por ejemplo, nos parecía una alternativa muy pura en su punto de partida. Sin embargo, la realidad apareció con el caso Padilla. Recuerdo aquella época y la carta de Mario que publicamos y que partió en dos el mundo intelectual de América Latina. Creo que Mario adoptó una posición perfectamente correcta, y hoy expresa la posición más limpia que se puede tener al respecto, porque yo no admito que uno pueda ser enemigo de la dictadura de derecha y amigo de la dictadura de izquierda. Hay que ser enemigo de todas las formas de dictadura, y él lo manifestó con su convicción liberal y su aventura política. Durante las elecciones de 1990, tuve la oportunidad de acompañarlo en alguna gira y me parecía que realmente había identificado los problemas de su país. Tenía un excelente equipo y proyectaba una imagen muy pulcra. Pero tenemos que comprender que en nuestros países hay mucho que hacer para barrer los rezagos de una cultura que hace que cualquier proyecto serio pueda quedar desplazado simplemente por una propuesta de orden populista. Cuando perdió las elecciones, recuerdo haberme encontrado a Octavio Paz en un bar de París. Hablamos de Mario y me dijo: «Yo me alegro por él, porque un escritor no tiene nada que hacer metido en estas cosas». Y le contesté: «Bueno, pues yo lo siento por el Perú, porque aquí el que perdió ha sido un país». Para él, como escritor, habría sido una extraordinaria experiencia.

Mario sigue luchando también a través de sus escritos y yo, sin ser optimista a corto plazo, aunque lo soy a mediano plazo, creo que esas ideas nuestras se están abriendo camino. Creo que, a pesar de las regresiones —porque la historia nunca avanza en línea recta—, finalmente los hechos y la realidad terminarán por darnos la razón y por eliminar todas esas supersticiones que han envenenado y contaminado el mundo político latinoamericano.

* * *

Plinio Apuleyo Mendoza (Tunja, Colombia, 1932) estudió en el Institut des Sciences Politiques de París. Su labor periodística, ampliamente conocida, se ha repartido entre numerosas publicaciones de América Latina y Europa como *El Tiempo, Libre* (la famosa revista parisina en la que participaron Cortázar, Goytisolo y García Márquez) y *Momento*. Ha sido director de los siguientes programas televisivos: *Personajes* y *El filo de la navaja*. Ha sido columnista de los periódicos *El espectador, Nuevo Herald, El Comercio, El País* y *Hoy*, de Nueva York. Asimismo, ha editado los siguientes libros: *El desertor* (cuentos), *Años de fuga* (Premio Internacional de Novela Plaza & Janés), *La llama y el hielo, El olor de la guayaba* (conversaciones con Gabriel García Márquez), *Los retos del poder, Zonas de fuego* (reportajes sobre las guerrillas colombianas) y *El sol sigue saliendo*, y es coautor de *El desafío neoliberal* y *Manual del perfecto idiota latinoamericano*. En el año 2000 publicó *Aquellos tiempos con Gabo*.

LAS CIENCIAS SOCIALES
EN LA OBRA DE MARIO VARGAS LLOSA

VARGAS LLOSA Y LAS CIENCIAS SOCIALES

Juan Ossio

Si tener una aspiración predictiva de los fenómenos sociales forma parte de las ciencias sociales, podríamos decir que Mario Vargas Llosa es un gran científico social. La razón es que nadie mejor que él visualizó lo que se le venía al Perú después que Fujimori pateó el tablero democrático en abril de 1992. Tal es el conocimiento que tiene de las dictaduras que casi hasta podría enunciar leyes históricas acerca de ellas. No lo ha hecho bajo el cauce de los tecnicismos que encierran estas ciencias porque él no es un profesional de ellas, pero implícitamente lo ha hecho a través de la creación literaria, que es el campo que mejor domina. Un ejemplo notable de ello es *La Fiesta del Chivo*, que creo que mejor que cualquier tratado sociológico y de modo más didáctico explica lo que es un sistema dictatorial.

¿Cómo explicar el éxito que alcanza en el tratamiento de este tema si no es un profesional de las ciencias sociales? Aparte de sus grandes dotes como observador de la realidad cotidiana, para mí el secreto está en una preocupación que subyace en las distintas y ricas facetas de su vida, incluso las de su etapa de socialista: la búsqueda y defensa de la libertad.

En realidad, la perseverancia y consistencia con que ha perseguido esta búsqueda y defensa es lo que explica en gran medida el sitial exitoso que ocupa, además de su enorme fuerza de voluntad y capacidad de trabajo. La razón es que ella es consustancial a su labor creativa como escritor, la cual no debe tener fronteras de ninguna especie. Que su búsqueda se ha visto recompensada se traduce en que se ha convertido en un personaje universal, deviniendo de un medio originario bastante parroquial y de horizontes estrechos.

Obviamente acceder a este sitial no ha sido fácil. En *El pez en el agua* ya vemos sus conflictos iniciales en el seno del hogar con su padre, y más tarde su rebeldía es encausada bajo los grupos políticos de izquierda que se enfrentan a la dictadura de Odría, luego su desavenencia con estos grupos y con Fidel Castro —su gran abanderado—, luego contra el régimen de Fujimori y actualmente contra los rezagos populistas y la emergencia de nuevos totalitarismos.

Si hoy gran número de peruanos le vuelven a tender la mano después de la guerra que le hizo el fujimontesinismo es, aparte del reconocimiento que recibe en el medio internacional, porque supo mantener una posición inquebrantablemente antagónica contra lo que hemos comprobado que ha sido uno de los regímenes más corruptos de nuestra historia. No obstante, si ahora esta comprobación pesa a su favor, existen muchos que se la tienden tímidamente porque todavía no están convencidos de que la posición liberal que viene esgrimiendo sea la más adecuada para el Perú.

Pero, ¿qué es lo más adecuado para el Perú? Cuando en vísperas de las elecciones presidenciales de 1990, bajo premisas liberales, preparamos el plan de gobierno del Fredemo, pensamos que las ideas que volcábamos allí eran las más pertinentes para nuestro país en aquellos momentos. Al fin y al cabo derivaban de lo más graneado de nuestras élites políticas e intelectuales y de numerosos días de reflexión. Sin lugar a dudas no debieron ser desdeñables, pues muchas de ellas adquirieron gran difusión entre los gobernantes latinoamericanos. Incluso el mismo Fujimori aparentó basarse en algunas de ellas para realzar su popularidad.

¡Cuánto se hubiese ahorrado este país si en aquella oportunidad hubiera elegido como presidente a Mario Vargas Llosa! Que su candidatura llegó a tener gran aceptación lo dicen las encuestas que se prepararon hasta cinco meses antes de la primera vuelta. Desafortunadamente, distintas circunstancias no controlables que, como diría Basadre, hacen de la historia un azar, impidieron la coronación de su triunfo. Entre estas, creo que una de las que más ha intrigado a Mario Vargas Llosa es la composición multiétnica de nuestro país y su condición invertebrada. Un testimonio de ello es su reflexión sobre el Perú a partir de la obra de José María Arguedas, que vemos plasmada en *La utopía arcaica*.

En la obra de Vargas Llosa hay dos ciencias sociales que tienen un lugar privilegiado. Una es la historia, cuyo estímulo y enseñanzas iniciales le vinieron de Raúl Porras Barrenechea, y otra es la antropología, que la incorporó por su vocación de conocer culturas distintas a la occidental y quizá, en el fondo, por ser más próxima a la literatura que la misma historia. Esta proximidad radicaría en que la antropología, si bien como la historia solo puede ofrecer interpretaciones imperfectas de la realidad, al menos tiene en común con la literatura que se interesa en los hechos humanos simplemente por ser humanos y los ausculta como conjuntos interrelacionados cargados de significación.

Cuán consciente es de esto último, no lo sé. Pero, al menos en mi caso, en el de colegas como Masao Yamaguchi, Roberto Da Matta y otros, la obra de Mario Vargas Llosa nos resulta afín, y especialmente atractiva, por su gran habilidad de construir conjuntos significativos a partir de situaciones y personajes ambiguos de corte carnavalesco que por escapar a las convenciones de la rutina cotidiana ponen mejor de manifiesto la rica creatividad humana, así como la sistematicidad del orden social. Un caso paradigmático de ello es el mesiánico Consejero de *La guerra del fin del mundo* y la secuela de seguidores socialmente anómalos que se le asocian. Otro es el errante «hablador» que termina siendo un fanático antropólogo conservacionista defensor de la inmovilidad cultural de los grupos nativos amazónicos. También el institucionalista y amoral capitán Pantaleón Pantoja, que termina administrando los servicios de un grupo de prostitutas para evitar que un destacamento militar satisfaga sus apetitos sexuales con la población civil donde se asientan.

En todos ellos, claro está, hay además una dosis de fanatismo que, al igual que el poder dictatorial, es otra de las grandes antítesis bajo la cual Vargas Llosa puede hacer prevalecer sus sentimientos libertarios y mostrar las raíces irracionales que muchas veces esconde la violencia.

Así como *La Fiesta del Chivo* es un extraordinario tratado sobre la dictadura, *La guerra del fin del mundo* es una etnografía magistral sobre un movimiento mesiánico campesino no indígena de raigambre cristiana y sobre las tensiones que genera en una sociedad brasilera a puertas del siglo XX que se debate entre la monarquía y la república. Es cierto que a diferencia de Euclides da Cunha, el primer literato que dio cuenta de Consejero y el movimiento mesiánico de Canudos, las causales ambientales y sociales del movimiento no están presentes, pero en cambio, como un antropólogo profesional, no solo nos presenta «la visión de los vencidos», sino los puntos de vista y los ropajes culturales de una multiplicidad de actores representativos de distintos segmentos sociales que giran alrededor del movimiento de Canudos.

Donde su capacidad de mimetización con los actores sociales llega a extremos extraordinarios es en *El hablador*. Allí, con una capacidad perceptiva que cualquier antropólogo envidiaría, logra reproducir en español los relatos orales que los machiguengas transmiten en su propia lengua y bajo los cauces de su universo mítico. Obviamente, para acceder a esta técnica tuvo que familiarizarse con los escritos de algunos antropólogos y misioneros que se habían ocupado de este grupo nativo.

Es en esta novela donde Vargas Llosa pone mejor de manifiesto la percepción que tiene de los antropólogos, sobre todo de algunos que, como aquellos ecologistas recalcitrantes, llegan a conservacionismos extremos en aras de contribuir a la preservación de aquellas culturas que se han forjado al margen de la cultura occidental. En el fondo, esta es un poco la imagen que tiene de la obra de José María Arguedas y de considerarla como una «utopía arcaica».

Todavía recuerdo cuando en 1983 visitamos Uchuraccay. Mario se quedó muy consternado por la pobreza de aquellos campesinos que, sin establecer diferencias entre foráneos, dadas las circunstancias de violencia en que vivían, dieron muerte a ocho periodistas al confundirlos con terroristas de Sendero Luminoso. Haciendo cierto despliegue del relativismo cultural que a veces manejamos los antropólogos, le aconsejé no sentirse tan mal, pues esos eran sus patrones de vida desde antaño y que así ellos eran felices a su manera. Me contestó que eso no podía ser. Que no podían quedar privados de las bondades del mundo moderno.

Con la consistencia que lo caracteriza, esta respuesta era consonante con sus ideales libertarios, que después orientarían nuestro quehacer político en Libertad, de no privar a nadie de la posibilidad de abrir sus horizontes, de contar con los instrumentos para participar en términos competitivos en el mundo moderno que inexorablemente se va globalizando. Siguiendo esta misma lógica, y congruente con su fobia por los nacionalismos y por toda traba ideológica que ponga en peligro sus ideales de apertura, Mario Vargas Llosa ha mostrado desconfianza por el concepto de «identidad cultural», tan caro para antropólogos, historiadores y defensores de los derechos humanos.

A partir de sus lecturas de *La miseria del historicismo* y *La sociedad abierta y sus enemigos*, de Karl Popper, Vargas Llosa cada vez se ha sentido mejor respaldado en su defensa de la libertad, de la modernidad, del progreso y de los distintos instrumentos que permitían un mejor desarrollo de la creatividad. Gracias a estas lecturas él ha redescubierto aquellas dicotomizaciones con que algunos padres fundadores de las ciencias sociales, como Durkheim, Tonnies, Sumner Maine, o modernos antropólogos, como Lévi-Strauss o Louis Dumont, han clasificado, bajo ciertas premisas evolutivas, a las sociedades. Aunque los términos que contrasta no sean los mismos que los que utilizan estos autores, algo semejante aparece a lo que, dependiendo de una menor o mayor complejización de la división del trabajo, Durkheim llama «solidaridad mecánica» u «orgánica», o a los de «comunitas» y «asociación» que maneja Tonnies, o a los de «estatus» y «contrato» que esgrime Sumner Maine, o a los de «sociedades frías» y «calientes» que utiliza Lévi- Strauss, o aquel de sociedades «segmentarias» e «individualistas» que propone Dumont. En su caso, a un extremo identificado con el pasado pone a sociedades donde prima el colectivismo, el pensamiento arcaico, que califica de «irracional» o mágico-religioso, y, en el otro, identificado con el presente y el mundo moderno, al individualismo y al pensamiento científico.

Gracias a un hábil manejo de estos contrastes y a su capacidad de organizar conjuntos significativos, la caracterización que hace de la obra de Arguedas y del mundo andino en general, aunque no exenta de críticas, es absolutamente pertinente. A través de *La utopía arcaica* he podido confirmar contundentemente algo de lo que siempre sospeché: la estrecha continuidad entre el pensamiento de Guamán Poma y la de nuestro novelista apurimeño. La filiación que logra establecer de la obra de Arguedas con la cultura andina es realmente admirable. Sin lugar a dudas es esta sensibilidad la que le permitió entender mejor que otros miembros de la comisión que investigó la muerte de los ocho periodistas en Uchuraccay tanto la estrategia que le sugerimos para interrogar a los campesinos responsables de la matanza como las evidencias que, con Fernando Fuenzalida, le presentamos sobre la autoría de estos últimos.

Aunque yo no caracterizaría el pensamiento de Arguedas ni el de los hombres andinos como irracional, sí estoy dispuesto a admitir que, como diría Lévi-Strauss, ellos responden más a una «ciencia de lo concreto», a una manera de aproximarse a la naturaleza más ajustada a la percepción sensible y a la imaginación que no tanto desplazada. «Irracional» tiene la connotación de incoherente, y ni el pensamiento de Guamán Poma, ni el de Arguedas, ni el de los hombres andinos pasados y presentes podría ser considerado como tal. De otra manera no podríamos explicar cómo llegaron a forjar aquellas civilizaciones que causan admiración en el mundo, ni nuestros dos autores escribir las obras que nos han legado. Tampoco podríamos tipificarlo de mágico-religioso, ajeno a principios de causalidad, pues entonces no podríamos explicar el desarrollo de una altísima tecnología que doblegó a un ambiente bastante hostil y que permitió la supervivencia de muchos pobladores y la consecución de excedentes que posibilitó una compleja estratificación y división del trabajo. Si el «conocimiento no se hubiese subordinado a la experiencia al igual que las ideas y las hipótesis a la realidad objetiva», cualidades que Mario Vargas Llosa, siguiendo a Popper, atribuye a la «actitud científica», estos logros hubiesen sido imposibles.

Si José María Arguedas insistentemente presenta la naturaleza en términos mágicos, si los pájaros, los insectos, el agua transmiten mensajes a los mortales es porque está haciendo una literatura al estilo de los mitos andinos y, aunque simpatizante del marxismo, no puede abandonar la profunda religiosidad de sus congéneres andinos. Tanto en los mitos, cuentos y rituales que son parte de los campesinos de los Andes, los recursos metafóricos alcanzan mucho relieve dada la espiritualidad en que se encuentran sumidos. Sin embargo, esto no quiere decir que también tengan la capacidad de tomar distancia frente a la realidad objetiva y observarla bajo principios causales. En *Puquio, una cultura en proceso de cambio* Arguedas nos dice que, en los himnos que los awkis o sacerdotes andinos entonan en honor al agua, el término quechua con que aluden a este líquido elemento es «Uno» y no «yacu», que es el que utilizan en la vida cotidiana. Esto sugiere que el agua puede ser vista de dos maneras: una de naturaleza mística que lo presenta como un elemento fertilizador de naturaleza divina, y otro de índole secular cercana a nuestra imagen de H_2O.

Volviendo al «irracional» que provocativamente emplea Vargas Llosa, no debe pensarse que lo hace con una intención peyorativa. Muy por el contrario, solo un gran respeto y admiración por la obra de José María Arguedas y por el mundo andino podrían explicar que Vargas Llosa le haya dedicado tantos años al estudio del legado intelectual de este insigne novelista indigenista y que este universo cultural de nuestro país ocupe un lugar tan prominente en su actividad literaria. Su propósito, amparándose en Popper, es alertar, valiéndose de términos provocadores, acerca de los riesgos que este tipo de pensamiento que atribuye a las sociedades arcaicas tiene para el desarrollo de una actitud abierta, que para él es la única que puede permitir el acceso a la libertad.

Sin lugar a dudas, si existiesen sociedades en que este fuese su único estilo de pensar, tendrían enormes dificultades para enfrentar los avatares de la vida y para adaptarse a circunstancias extremadamente diferentes a su *modus vivendi*. Igual lo sería si solo primase lo que Popper llama «el espíritu de la tribu» y su secuela colectivista, donde el individuo quedase completamente anulado. Pero, ¿existen sociedades tan cerradas?

Clasificar a las sociedades dicotomizándolas, como hemos visto, ha sido un antiguo recurso metodológico para establecer contrastes que la realidad convalida con cierta proximidad. Esto no significa que lo que se resalta en unas esté ausente en las otras. Es cierto que el «espíritu de la tribu» se hace más notorio en sociedades rurales donde la interacción que predomina es la interpersonal o cara a cara, mientras que el individualismo alcanza un mayor relieve allí donde las relaciones sociales adquieren un tinte más impersonal. Sin embargo, esto no quiere decir que uno y otro sistema no encierren algunas características de su contraparte. Si esto no se diese, la comunicación entre las culturas sería imposible y la humanidad se hubiese quedado estancada en sus inicios.

Ya hemos visto como, a la par de un pensamiento tildado de mágico-religioso, en los Andes coexiste otro que se mueve bajo una lógica de causalidades semejante al que está detrás de la ciencia. En el campo social ocurre lo mismo y, como he mostrado en distintos trabajos, en aquel concerniente a las formas de propiedad, que es el más notorio, es posible establecer una gradiente que va de un extremo colectivo, asociado principalmente con las estancias de la puna, a otro individual, notorio especialmente en áreas donde los cultivos se hacen bajo riego. Algo similar ocurre con relación a instituciones como el matrimonio o el compadrazgo, pero sobre todo en aquellos ámbitos que tienen que ver con la creación artística. De ello da cuenta la estrecha asociación de las actividades que se dan en este dominio con un sentido de competencia, como lo muestran los atipanacuy de los danzantes de tijeras o las distintas escuelas de artesanos donde determinados individuos adquieren un especial renombre.

Un énfasis por la endogamia y las relaciones interpersonales ha favorecido el desarrollo de tendencias parroquiales o localistas en nuestras poblaciones rurales. Estas últimas llegan a invadir hasta los ámbitos urbanos y hasta a doblegar a algunos miembros de nuestras clases dirigentes. No obstante, ellas no han impedido que algunas civilizaciones del pasado alcanzaran una gran expansión y que un gran número de nuestros compatriotas contemporáneos se desplacen incluso por ámbitos internacionales.

La existencia de fuerzas centrífugas y centrípetas en las poblaciones de nuestro país que podemos tildar de arcaicas es un hecho indudable. No siempre están en equilibrio. Dependiendo de las circunstancias que confrontan, unas veces las segundas predominan dando lugar a fenómenos mesiánicos y nativistas que pueden adquirir visos de gran peligrosidad a aspiraciones libertarias y democráticas. Otras veces son las primeras, pero mal encauzadas, las que pueden producir desbordes populares.

En la medida que somos un país pluricultural y que estas vertientes están presentes en todos nuestros segmentos culturales, creo que si se promueve un diálogo intercultural es posible conciliar la tradición con la modernidad. Esto lo he comprobado con más firmeza en la actividad que vengo desarrollando como mediador entre las empresas mineras y las comunidades rurales.

Arguedas también atisbó esto mismo a su manera, aunque es evidente que su obra refleja un gran desdén por el mundo industrial como parte de lo que Vargas Llosa llama su «utopía arcaica». A mi modo de ver, esto que logró atisbar hace que la radicalidad de esta última fuese más literaria que real. Mis sospechas se derivan de sus artículos sobre el valle del Mantaro («Folklore del valle del Mantaro», en *Folklore americano*, vol. 1. Lima, 1953, páginas 101-293). En uno de ellos, leemos por ejemplo: «En el valle del Mantaro se ha realizado un cambio especialísimo que debería ser bien estudiado. El campesino actual del Mantaro no ha desgarrado por entero los patrones de conducta indios a pesar de haber evolucionado radicalmente en lo que se refiere al concepto de la propiedad privada y del trabajo. Como ya dijimos, el campesino del Mantaro es un individuo hábil para el mercado de tipo occidental; es un productor y consumidor activo; a tal punto que ha urbanizado intensamente sus aldeas y villas, y ha hecho posible la formación de la ahora más activa ciudad serrana del Perú: Huancayo» (página 122). Para él, gracias a «la industrialización en gran escala de la explotación de las minas de Junín (las más importantes del país) en la zona alta, puna vecina del valle; la construcción el Ferrocarril Central y de la Carretera Central que unen el valle con Lima; la proximidad del valle con la capital de la República; y la riqueza agrícola de la zona y su estado no feudal de la propiedad a la iniciación de los tres factores anteriormente citados» (página 120).

A mi modo de ver, aquella «utopía arcaica» donde Arguedas se solaza en una visión panteísta de la sociedad o en el colectivismo agrario, o donde defiende algunas costumbres como el Yawar fiesta a pesar de ser violentas, es un recurso que su capacidad como literato le ofrece para defender a quienes ve como sus congéneres frente a los modernos «extirpadores» de idolatrías que en aras del progreso todavía pretenden forzar una homogeneización del país a pesar de reivindicar valores democráticos.

En sus manos, la defensa de la identidad cultural, más que un instrumento para propiciar nacionalismos, fue una reivindicación al derecho de ser diferente. En última instancia se trata de una reivindicación democrática que, por un lado, suponía presentarla con el mayo grado de realismo y, por otro, defenderla frente a los que la soslayaban o discriminaban.

Creo que el tiempo ha mostrado que han sido reivindicaciones de este tipo las que mejor han servido para contrarrestar la prédica de agrupaciones como Sendero Luminoso. No podía ser otro tanto porque, al reivindicarse el pluralismo cultural, implícitamente se estaba sugiriendo que solo un sistema democrático podía condecirse con esta realidad.

No estoy seguro de cuánto de esta faceta de Arguedas ha entendido Vargas Llosa. Pero, vista en los términos que la vengo describiendo, no creo que pudiese estar en desacuerdo, pues un ideal que no cesó de repetir a lo largo de su campaña política fue aquel de que el Perú alcanzase la «coexistencia en la diversidad».

Y es que lo último que habría en Vargas Llosa es una indiferencia frente a actitudes discriminatorias que pongan en peligro los derechos humanos. De ello da cuenta su vida como escritor y la reflexiva y valiente búsqueda de los caminos que conduzcan a la libertad.

* * *

Juan Ossio (Lima, 1943) es antropólogo e historiador. Entre sus libros se encuentran *La ideología mesiánica del mundo andino* (1973), *Los indios del Perú* (1992), *Las paradojas del Perú oficial* (1994), *Empresas mineras y poblaciones rurales* (1998) y *El códice Murúa* (2004). También es autor de numerosos artículos publicados en periódicos y revistas y productor de cuatro documentales sobre las fiestas andinas. Actualmente es catedrático de la Facultad de Ciencias Sociales de la Pontificia Universidad Católica del Perú.

RAZÓN E INTUICIÓN, SOCIOLOGÍA Y LITERATURA EN VARGAS LLOSA

Carmen María Pinilla

Tres documentos que se remontan a 1965 dan testimonio de los conceptos de Mario Vargas Llosa sobre el papel de la razón y de la intuición al interior de la sociología y de la literatura. Tales conceptos fundamentaron desde entonces su sólida teoría sobre la literatura como una hermosa mentira. Los documentos mencionados corresponden a tres eventos donde se debatieron temas vinculados a la sociología del conocimiento y a la sociología de la literatura, pues abordaron el problema de la relación intuición-razón en el proceso de conocimiento de la sociedad y en el proceso de creación literaria.

Situémonos un instante en la década de los sesenta para apreciarlos en toda su dimensión. Acababan de aparecer en el panorama cultural peruano las ciencias sociales como disciplinas académicas. El Perú atravesaba una serie de cambios vertiginosos hacia la modernización de sus estructuras. Programas de alfabetización masiva en la sierra, apertura de carreteras, penetración del mercado interno y varios otros factores habían originado una avalancha de migraciones del campo a las ciudades, cambiando sustancialmente no solo aspectos urbanísticos, sino sociales y culturales. Tal situación preocupaba especialmente a los recién formados científicos sociales, que se disponían a estudiar rigurosamente los diferentes aspectos del proceso de cambio social haciendo uso de la teoría y metodología sociológica.

Pero esa misma preocupación de los científicos sociales era igualmente compartida por narradores, como Vargas Llosa, quienes, conscientes de las transformaciones sociales que se vivían, habían expresado la urgencia de interpretar y expresar las peculiaridades de la sociedad a través de la literatura.

Tan genuina preocupación permitió que narradores y sociólogos aceptaran la invitación del economista Jorge Bravo Bresani, para asistir al recientemente fundado Instituto de Estudios Peruanos, y analizar conjuntamente los contenidos sociológicos de obras literarias últimamente publicadas, de indudable riqueza, entre ellas *La ciudad y los perros*.

Las bases sobre las que Bravo extendía la convocatoria eran las siguientes. La literatura ofrece valiosos conocimientos a la sociología a través de las imágenes de la sociedad que construye y a través de los mitos o soluciones a los problemas sociales que presenta. Gracias a su intuición, el novelista capta inmejorablemente la organización social, y revela la esencia de los comportamientos humanos, las motivaciones que están en la base del fenómeno social o económico históricamente situado. En segundo lugar, la evaluación de obras literarias por parte de científicos sociales beneficia a los narradores, pues les muestra, si fuera el caso, las deformaciones de la realidad social que cometen, y, por tanto, los alerta respecto posibles efectos distorsionadores de su creación sobre el público lector.

Opinaba Bravo Bresani que *La ciudad y los perros*, así como *Todas las sangres*, de José María Arguedas, como el ensayo *Lima la horrible*, de Sebastián Salazar Bondy, y como el trabajo sociológico *La emergencia del grupo cholo y sus implicaciones en la sociedad peruana*, de Aníbal Quijano, eran obras modelo de rico contenido sociológico, motivo por el cual debían ser sometidas a intensos debates.

El valor sociológico de *La ciudad y los perros* apreciado por Bravo residía en que expresaba los mecanismos estructurales de la sociedad limeña y los procesos de cambio social: «*La ciudad y los perros*, como la anterior serie de cuentos del mismo autor, *Los jefes*, trata de los mecanismos por los cuales, cuando la autoridad oficial desfallece o se galvaniza, toman especial vigor las formas oficiosas y subversivas de organización y de liderazgo, sobre moldes antisociales y peligrosos. Trata de preferencia este fenómeno en la adolescencia y conecta su presentación con los fenómenos de anomia y de cambio propio de los países subdesarrollados. Poco importa, en este caso, que los hechos narrados hayan pasado o no en el lugar señalado por la novela. Lo importante es que en cierto modo están pasando en el Perú, que expresan una realidad que se vive en la escuela, en la universidad y en la barriada».

La propuesta de Bravo sobre la conveniencia de realizar semejantes debates tuvo positiva acogida. El 26 de mayo de 1965 se realiza lo que se llamó «la primera mesa redonda sobre literatura peruana y sociología», en la que participaron Jorge Bravo Bresani y el antropólogo José Matos Mar, Mario Vargas Llosa, Sebastián Salazar Bondy, Enrique Solari, Alberto Escobar y José Miguel Oviedo (el contenido de esta reunión ha sido publicado en Pinilla Cisneros, Carmen María [ed.], *Primera mesa redonda sobre literatura y sociología*, Lima: IEP, 2003).

Desde su primera intervención Mario Vargas Llosa aprobó la primera parte de la propuesta de Bravo —que científicos y literatos analicen conjuntamente la realidad social, evocada en una obra literaria—, pero expresó su total desacuerdo con la segunda parte, con la presencia de los autores en la reunión, por considerar inútil todo posible esclarecimiento. Los autores, sostenía, no podían comentar nada con los sociólogos acerca de su propia obra, y mucho menos sobre los ajustes o desajustes de la obra con respecto a la realidad exterior, ya que en la elaboración literaria participaban poderosos elementos inconscientes filtrados, aun en contra del proyecto inicial del escritor.

Voy a citar una parte importante de su intervención, pues ilustra claramente su posición frente a los puntos señalados al inicio: «Yo quisiera decir que estoy enteramente de acuerdo con la tesis central de la exposición del ingeniero Bravo, es decir, de considerar a las obras literarias como testimonios sociales, como instrumentos de conocimiento para problemas de orden social, de orden político y de orden económico. Creo que todas las obras literarias, sin excepción, pueden ser objeto de un análisis de este tipo y que pueden dar respuestas sumamente útiles tanto a un sociólogo y a un economista como a un historiador. No solo las obras literarias llamadas realistas, es decir aquellas en las cuales la problemática social ocupa un lugar de primer plano, también aquella literatura que se llama de evasión, como puede ser la literatura fantástica e incluso la subliteratura, la literatura policial, la literatura rosa, yo creo que también pueden ser documentos sumamente estimables para conocer la problemática de una región o de una nación, de una época. Sin embargo, en lo que soy más bien pesimista es en la posibilidad de un diálogo fecundo entre sociólogos y economistas y escritores. Sobre este problema, yo creo que, en realidad, lo que puede significar la literatura para un escritor, para aquel que la produce, y para un sociólogo y para un economista es algo completamente distinto e incluso antinómico. Porque una novela, por ejemplo, por supuesto es un hecho histórico, y por lo tanto es un objeto de estudio, un documento, un termómetro sobre la realidad que la ha inspirado, que la ha producido. Pero para un escritor lo importante, lo fundamental y sobre aquello que él puede testimoniar es lo que antecede a este objeto histórico, es decir, lo que le da origen, lo que la produce».

Detrás de la fundamentación aparecían las diferencias que establecía entre la intuición —distorsionadora— propia del literato, en contraposición a la racionalidad que prima al interior de los análisis sociológicos. Tales ideas fueron ampliadas al día siguiente, en una conferencia dictada en Teatro Ateneo de Arequipa, el 27 de mayo; y dos semanas después, en su intervención durante el Primer Encuentro de Narradores Peruanos. A este evento no asiste, pero envió un texto que fue leído en una de las sesiones.

Al reiterar Vargas Llosa su rechazo al supuesto de que un escritor pudiese ser esclarecido por los científicos sociales perfilaba su teoría de la literatura como hermosa mentira pues sostuvo que las deformaciones de la realidad realizadas por el narrador son inherentes al mismo proceso de elaboración literaria. Esas distorsiones se originan en la especial relación del escritor con su mundo social, relación marcada por la inconformidad, la frustración o la rebeldía, y están siempre acompañadas de poderosas emociones que lo llevan a recrear su sociedad, a transformarla a través de la ficción. Por eso dijo en Arequipa que «la literatura puede compararse, en cierta forma, con la magia».

De las opiniones anteriores puede deducirse con suma claridad la diferencia de objetivos y herramientas que Vargas Llosa atribuía a la literatura y a la sociología. Sin embargo es importante destacar que en esos años consideró que si bien la relación del escritor con la realidad social estaba viciada desde el inicio, ello no impedía que pudiera expresar la sociedad objetivamente, tanto o más que una obra sociológica. Consideró, además, que alcanzar la objetividad era una importante meta del novelista. «Yo creo que esa es la función del novelista, mostrar de una manera objetiva e imparcial el mundo en el que vive. Yo creo que este es el mejor servicio que el novelista puede prestar a sus contemporáneos. Y si su visión del mundo y su transposición a una ficción es auténtica y es profunda, a través de esa visión y de esa ficción los demás hombres van a descubrir su propio rostro, van a descubrir la realidad, van a descubrir los vicios, los defectos y también las bellezas y los aciertos de esa realidad, y de acuerdo a ello podrán transformarla, podrán modificarla, podrán operar sobre ella».

Las peculiaridades que caracterizaron los procesos sociales de los años sesenta agudizaron la sensibilidad de escritores como Vargas Llosa para captar y expresar la realidad social y para considerar que la expresión de la misma era una tarea fundamental de la literatura peruana y americana. Por eso sostuvo que: «La sociedad americana que nosotros vivimos no va a durar, va a ser otra. Y entonces, como ocurrió con el *Amadís*, como ocurrió con *La educación sentimental*, como ocurrió con *La guerra y la paz*, están surgiendo libros como *Todas las sangres* de Arguedas, como *La región más transparente* de Fuentes que tratan de fijar rápidamente, de testimoniar rápidamente, sobre esta realidad llamada a desaparecer», ello mismo ocurre con *La ciudad y los perros*, como ya se ha visto.

Es conveniente reiterar que la agudeza de Vargas Llosa para percibir el momento histórico que se vivía, y su manera de entender las relaciones entre la sociología, la política y la literatura, determinaron su convicción de que la auténtica literatura podía y debía expresar fidedignamente el mundo social. Esta feliz convicción lo ha inducido siempre, desde *La ciudad y los perros* hasta *La Fiesta del Chivo*, a dedicar grandes esfuerzos en investigar profundamente la realidad social sobre la que construye sus ficciones, agregando a sus creaciones verdadero valor sociológico. Ello a pesar de que advierta constantemente sobre el peligro de considerar tales méritos como la mayor hazaña de la literatura.

Debemos finalizar precisando que el modelo de ciencia y de conocimiento racional que Vargas Llosa atribuye a la sociología ha sido duramente cuestionado por el pensamiento posmoderno. Conocedor de estos cuestionamientos, él los combate a través de artículos en los que califica de frívolos o charlatanes a representantes de dichas posturas epistemológicas. Ocurre que no ha dejado de considerar que, en lo concerniente al mundo real, es la razón la única facultad que posibilita una forma superior de conocimiento (no la magia, ni la intuición). Siguiendo a Popper defiende el conocimiento que se funda en la experiencia, que contrasta hipótesis y realidad. Considera que esta forma de conocimiento ha permitido y debe permitir pasar de la tribu a una sociedad abierta al mundo. La razón y la ciencia bien aplicadas posibilitan la existencia de individuos libres y soberanos. La razón y la ciencia pueden garantizar una sociedad regida por un sistema legal que protege a todos los ciudadanos contra cualquier abuso de poder. Ellas pueden garantizar una sociedad en la que ningún sistema de ideas monopolice el orden social, precisamente porque hay libertad para criticar y debatir las ideas políticas.

* * *

Carmen María Pinilla es socióloga. Ha profundizado en diversos libros, artículos y conferencias sobre la vida y obra de José

María Arguedas. Sus últimas obras publicadas son *¡Kachkaniraq-mi! ¡Sigo siendo! Textos esenciales de José María Arguedas* y *Apuntes inéditos. Celia y Alicia en la vida de José María Arguedas*, ambas editadas en el año 2004. Actualmente trabaja en el archivo Arguedas de la Pontificia Universidad Católica del Perú.

EL DIOS IMPOTENTE: LA (IN)HUMANIDAD DE TRUJILLO EN *LA FIESTA DEL CHIVO*

Gonzalo Portocarrero

Es claro que *La Fiesta del Chivo* se sitúa en el camino de la literatura rebelión. Se da cuenta de una realidad significativa y recurrente en la historia de América Latina. La dictadura patrimonialista y corrupta que gobierna, invocando un simulacro de interés nacional, pero que en realidad está al servicio del amo y sus goces. Régimen muy cercano a lo que Max Weber llamaba sultanismo, donde la única ley es precisamente el deseo del soberano. Como es sabido, el tema de la dictadura ha sido tratado en múltiples oportunidades en la literatura latinoamericana. También en las ciencias sociales. Pero pese a la existencia de textos verdaderamente canónicos, el tema conserva plena actualidad. El gobierno Fujimori-Montesinos es en este sentido una prueba reciente y dolorosa. La novela sobre la dictadura no es pues una obsesión exotista, ni una tradición apagada. Precisamente, *La Fiesta del Chivo* renueva el género presentando una situación peculiar: la República Dominicana durante la era de Trujillo. Pero mucho de lo que ahí se dice sirve para entender otras situaciones y otros presentes. En todo caso, una de las misiones del género debe ser advertirnos de aquello que en nuestras culturas y sociedades produce esa figura del mal que es el dictador corrupto. En realidad la guerra contra el mal no cesa. Y en América Latina la construcción de simulacros que justifican liderazgos exaltados y mesiánicos está aún a la orden del día.

Pero el género está tan consagrado que el riesgo de una nueva novela es caer en el reciclaje de estereotipos, en el moralismo de deshumanizar al dictador y caricaturizar las circunstancias, a la manera de una fábula donde sabemos demasiado bien todo lo que está por ocurrir. Lo importante es que Vargas Llosa evade el riesgo y elabora un relato-mundo donde la (in)humanidad de Trujillo está allí, palpitante. Cualquiera de nosotros podría ser como él. En realidad, Trujillo desea verse como un hombre providencial para quien todo está permitido. Alguien por encima. Pero la novela plantea que es ese mismo delirio de escapar de su humanidad lo que lleva a Trujillo a la (auto)destrucción. En esta intuición de que el amo se destruye desde dentro hay una verdad profunda y esa es la tesis que sostendré en la presente comunicación.

Como se sabe *La Fiesta del Chivo* se desarrolla en dos épocas distintas. Los últimos meses de la dictadura de Trujillo y un presente que se sitúa en 1996, treinta y cinco años después, cuando Urania Cabral, la coprotagonista de la novela, regresa a la República Dominicana, en el intento por comprender el trauma que a los catorce años casi la destruyó. Además, se hilvanan en la novela tres mundos que se van entretejiendo paulatinamente. Primero el régimen y sus allegados, el funcionamiento de la dictadura. Segundo, la formación del complot que terminaría en el asesinato del dictador. Y, tercero, la relación de Urania con su familia, después de un largo y silencioso autoexilio. La alternancia de tiempos y mundos es uno de los aspectos más logrados de la novela. La maestría del autor es patente en la manera en que dosifica estos intercambios, construyendo una intriga cautivante de la que resulta imposible sustraerse.

La figura de Trujillo es compleja, pero la novela nos ofrece varias pistas para comprenderla. Su origen modesto, mulato y pobre, le produce a Trujillo un horror que cualquier distancia no le resulta suficiente para ponerse a salvo. Su ascendencia negrohaitiana es una mancha que tratará siempre de lavar. Esta es la primera pista. No obstante, lo realmente peculiar en Trujillo es su disciplina y capacidad de trabajo, pues es organizado y metódico de manera que mantiene un control estrecho sobre las personas y situaciones. Todo ello es exótico en su país y se lo debe por entero a los marines de Estados Unidos. A la enseñanza que él, expectante, absorbiera cuando se enroló en las filas de la policía creada por los ocupantes norteamericanos. Lo curioso, sin embargo, es que la severidad de esta formación no desalojara lo peor de la cultura machista, latina y caribeña. Más bien, la capacitación recibida le permite realizar las perversiones típicas de su mundo social. Trujillo aparece como una criatura híbrida y paradójica: autocontrolado y desbordado, racional y caprichoso. Un puritano tropical, un hombre con método pero sin culpa. Pero, ante todo, alguien que ha escogido el camino del mal, que no duda en usar o destruir a los otros si ello puede servirle para incrementar sus goces.

Lacan dice que el cínico cree solamente en su goce. Está siempre a la búsqueda de excitaciones y siempre quiere más. Las palabras y compromisos nada le significan de modo que no hay frenos morales en su actuar. Ahora bien, las fantasías excitantes con las que el cínico quiere remunerarse no son estrictamente suyas, personales. En realidad son estereotipos, los ecos de las voces que lo inducen a imaginar el placer como desborde y omnipotencia. Algunos de estos estereotipos corresponden a la cultura machista latinoamericana. Pero el más importante trasciende estos marcos. En realidad, Trujillo se abandona a la idea de ser omnipotente, de ser alguien predestinado, a quien la vida no debería negarle nada. Trata de pensar que ha hecho grandes obras y que lo merece todo.

Es sabido que la fantasía de omnipotencia está anclada en las experiencias tempranas de satisfacción total de nuestras demandas. Es el caso del bebé que acaba de lactar y que mira extasiado a su madre. No puede pedir más. Luego la vida nos puede dar ocasiones así, pocas o muchas. Pero, y he aquí lo importante, una cosa es una experiencia que pasa como un viento cálido y otra muy diferente es aferrarse a la exigencia de ser siempre complacido.

Ahora bien, esta exigencia sería un delirio en un mundo democrático donde todos son conscientes de sus derechos. Para ser realizada esta exigencia requiere de un mundo social que esté a la búsqueda de amos supremos. Y cuando estos amos no reparan en nada para lograr la realización de sus deseos, tenemos la presencia del mal y de sus frutos: satisfacciones que suponen violentar a los otros y que terminan destruyendo la capacidad de amar. Produciendo el envilecimiento de la sociedad y de las personas; la proliferación del mal. En el caso de Trujillo el origen de este ungimiento como amo supremo está en el deseo de los otros. En los siervos que reclaman a su señor. Y ese servilismo acaba de trastornar a Trujillo. Se crea entonces un simulacro, una mentira o fachada que todos pretenden creer y que, finalmente, permite la legitimación del goce desenfrenado del dictador. El simulacro es una lección que todos deben repetir. Y es el hombre más frío, calculador y ambicioso de su séquito, el que le da forma. La cristalización del simulacro, su oficialización como verdad indiscutible, se produce con el discurso de Joaquín Balaguer en el momento en que este es incorporado a la Academia de la Lengua. El nombre del texto lo dice ya casi todo: «Dios y Trujillo: una interpretación realista».

Enterarse de los designios de Dios por boca de Balaguer despierta dudas en Trujillo. Pero, finalmente, aunque quien lo enuncia sea el más oscuro de sus sirvientes, Trujillo asume el aserto. En realidad Balaguer quiere ser el heredero del dictador, y juega para ello a ser el incondicional e indispensable.

«—Muchas veces he pensado en esa teoría suya doctor Balaguer —confesó—. ¿Fue una decisión divina? ¿Por qué yo? ¿Por qué a mí?

El doctor Balaguer se mojó los labios con la punta de la lengua, antes de responder:

—Las decisiones de la divinidad son ineluctables —dijo con unción—. Debieron tenerse en cuenta sus condiciones excepcionales de liderazgo, de capacidad de trabajo, y sobre todo su amor por este país.»

Trujillo parece totalmente ganado por el cinismo y el mal. Pero en realidad Vargas Llosa advierte que el cínico es una figura inhumana, una suerte de límite imposible de alcanzar, una caricatura. No todo es cálculo y perversión. Trujillo tiene algunos afectos. En primer lugar sus hijos: Ramfis, Radamés y Angelita. Y luego alguno de sus allegados. Sobre todo, Manuel Alfonso su embajador en Washington, hombre de mundo, persona en quien confía su imagen personal, la ropa que usa, los modales que gasta. Pero su gran amor es su madre, Mamá Julia, exaltada por su régimen a la condición de Santa o Excelsa Patrona. Sin ser totalmente cínico Trujillo es, sin embargo, un hombre solo, preocupado casi exclusivamente de su imperio y de sus goces.

¿Pero cuáles son los goces de Trujillo? Muchos de ellos se inscriben en la cultura machista, latina y caribeña. Humillar a sus colaboradores más cercanos. Acostarse con sus mujeres y presumir públicamente de hacerlo. De otro lado saquear los dineros públicos, haciendo del Estado Dominicano parte de su patrimonio personal. Expropiar a sus allegados. Acumular riquezas. También presumir de una potencia e hipersexualidad desbordantes, romper «coñitos vírgenes». Y estos goces son perversos no solo por que implican destruir a los demás sino por que son buscados en la perspectiva de llegar a la felicidad tal como es definida por el medio social. Pero esta definición se compone de promesas estereotipadas y engañosas que resultan de una cultura machista y trasgresora, fijada en los valores de la adolescencia o juventud temprana, en el mito de que para lograr la felicidad hay que aventurarse a ser el único, a tener todo, el sexo, el poder, el dinero. A ser el bacán que organiza el goce de todos.

Los colaboradores inmediatos de Trujillo son cuatro. Joaquín Balaguer, el hombre que aparenta no tener ambiciones, de una incondicionalidad sin fisuras, inteligente y trabajador. Henry Chirinos, el «constitucionalista beodo» o «inmundicia viviente», la persona sin escrúpulos que facilita a Trujillo la gestión de la mascarada legal que su régimen no puede descuidar. Johnny Abbes García es el jefe de la policía secreta, frío y calculador, piensa que no puede ir más lejos de donde está, de manera que juega a ser leal a su amo. Finalmente está «Cerebrito Cabral», que junto con Chirinos y Balaguer son los prohombres del régimen, los ideólogos y políticos que dan los discursos, que escriben las leyes y organizan el simulacro que permite el imperio del «Benefactor». Pero Cerebrito es diferente porque él sí ama a Trujillo. Es un amor filial, idéntico al que puede tener un niño por un idealizado padre. Toda su autoestima depende de la palabra de Trujillo, su fidelidad es «perruna», ilimitada. Junto con sus colegas, Cerebrito va rotando en los cargos más importantes del Gobierno; tan pronto es ministro como presidente del Senado. Hombre de entera confianza. Talentoso y trabajador. No roba y cree sinceramente que la obra de Trujillo tiene un significado civilizador. Ser uno de los escogidos del «Benefactor» colma su vida.

Cerebrito es padre de Urania Cabral. La coprotagonista de *La Fiesta del Chivo*. Huérfana de madre, Uranita es una muchacha de catorce años, seria y estudiosa, pero que no entiende mucho el mundo que la rodea. Su ignorancia la protege del mal que la circunda. Total, tiene una confianza plena en la bondad de su padre, en el amor que le prodiga. Su juventud se despunta en la felicidad de su casa, el colegio y la familia. No sabe lo que le aguarda.

Estamos en 1961. Después de treinta años el régimen hace agua. Su violencia no lo salva. El problema viene sobre todo por la oposición de la Iglesia católica. En una carta pastoral de principios de 1960, los obispos rompen con el régimen. Desde ese momento Trujillo vacila entre el enfrentamiento y las gestiones por restablecer el apoyo de la Iglesia. En el nivel internacional la situación es aún más delicada. El Gobierno americano, avergonzado de los excesos de su ex aliado, mantiene al régimen en jaque, presionando por la democratización, dejando entrever la posibilidad de una invasión militar. Para completar el panorama, la salud de Trujillo está deteriorada, lo aflige una enfermedad a la próstata que la vive con mucha humillación pues con frecuencia pierde orina y la mancha en sus pantalones lo saca de quicio.

En medio de este contexto tan complicado, Trujillo decide liquidar a Cerebrito. Lo despoja de sus puestos y lo aleja de su entorno. La caída en desgracia coge por sorpresa al padre de Urania. Conforme se le cierran las puertas, la incredulidad inicial va convirtiéndose en postración y amargura. Cerebrito está deprimido. ¿Por qué Trujillo se ha desecho de su colaborador más incondicional? ¿Por qué esta suerte de filicidio? Nadie lo sabe. Las suposiciones que Cerebrito escucha no tienen fundamento. Él es inocente, no se merece la excomunión. No entiende lo que sucede y está desesperado. El mismo Trujillo no termina de comprender las razones de su decisión. Cuando le comentan que su ex colaborador está al borde del suicidio, reflexiona: «¿Habría sido una ligereza someter a un eficiente servidor como Cabral a una prueba así en estos momentos difíciles para el régimen? Tal vez». Ahora bien, cuando en una acción no hay un sentido o propósito deliberado debe presumirse la existencia de una causa, de un motivo inconsciente. Muchas veces el inconsciente se impone y las personas terminamos haciendo lo que no queremos, aquello que no nos conviene. En realidad la liquidación de Cerebrito perjudica a Trujillo. Su entusiasmo sincero, su buena imagen, su capacidad de convencer. Todo ello se perdía. ¿Simplemente por el capricho de poner a prueba a su colaborador más leal?

La hipótesis que quisiera proponer es que Trujillo comienza a perder fe en su simulacro. Él mismo, sin quererlo conscientemente, acelera la descomposición de su régimen. Para empezar, su cuerpo, a través de su enfermedad, le dice que no es cierto que sea un predestinado. Además la Iglesia lo repudia. Entonces va desmoronándose su autoengaño y la inocencia que este le permite entretener. Se abre paso una visión inquietante de sí mismo. Freud decía que el sentimiento de culpa emerge en el ánimo como una necesidad de castigo. Es decir, como un sentirse manchado que reclama una purificación expiadora. Como es evidente que destruir a Cerebrito es perjudicarse a sí mismo, se podría llegar a la conclusión de que el simulacro de Trujillo se está viniendo abajo y que esta pérdida de fe en su omnipotencia lo humaniza, es decir lo somete a la ley y a la culpa. El filicidio cometido contra Cerebrito sería una penitencia destinada a contener su sentimiento de culpabilidad.

Pero la situación no queda allí. En una de las escenas más memorables de la novela, Manuel Alfonso, el hombre que provee de mujeres al «Padre de la Patria», le propone a Cerebrito que entregue a Urania, su hija adorada, como presente a Trujillo para así hacerle saber de su amor y fidelidad. En un inicio a Cerebrito la idea le parece ofensiva y descabellada. Pero la persuasión de Manuel Alfonso y su deseo de recuperar a Trujillo lo hacen ceder.

El encuentro entre Trujillo y Urania es el punto culminante de la novela. La inocente joven es recibida con excitación y zalamería por el viejo dictador. «Buenas noches, belleza —susurró, inclinándose. Y le estiró su mano libre, pero, cuando Urania en un movimiento automático le alargó la suya, en vez de estrechársela Trujillo se la llevó a los labios y la besó—: Bienvenida a la Casa de Caoba, belleza». Pero las cosas no marchan como se esperaba. La excitación de Trujillo no llega a convertirse en una erección suficiente como para desflorar a Urania. Entonces hierve de furia. «Basta de jugar a la muertita, belleza —lo oyó ordenar transformado—. De rodillas. Entre mis piernas. Así. Lo coges con tus manitas y a la boca. Y lo chupas, como te chupé el coñito. Hasta que despierte. Ay de ti si no se despierta, belleza». Finalmente usa el dedo para desvirgarla. Pero Trujillo está colérico. La mira con odio. Su imagen de «macho cabal» había quedado mermada.

¿Por qué no logra Trujillo la erección esperada? ¿Por qué la figura de Urania lo persigue como mal presagio? Las respuestas a estas preguntas son claves para fundamentar la hipótesis del tardío encuentro de Trujillo con su humanidad, con la verdad encerrada en sus mentiras. Slavoj Žižek nos da una pista fundamental para entender el episodio.

«Déjenme retomar mi propia descripción de la paradoja de la erección: la erección depende enteramente de mí, de mi mente (como dice el chiste: ¿Cuál es el objeto más ligero en el mundo? El pene porque es el único que puede ser levantado por un mero pensamiento). Pero, al mismo tiempo es aquello sobre lo cual finalmente yo no tengo ningún control (si no estoy en la disposición correcta, ninguna cantidad de poder de voluntad lo logrará —esta es la razón— porque, para San Agustín, el hecho de que la erección escape de mi voluntad es el castigo divino por la arrogancia del hombre, por su deseo de ser el amo del universo). Para ponerlo en términos de la crítica de Adorno, de la mercantilización y la racionalización: la erección es uno de los últimos restos de la espontaneidad auténtica. Algo que no puede ser totalmente manejado a través de los procedimientos racionales instrumentales.»

El cuerpo de Trujillo se rebela contra su voluntad. De pronto se encuentra desarmado frente a ese «coñito virgen». No puede saborear el exquisito platillo, no puede darse ese gusto tan codiciado. ¿Por qué? La respuesta remite otra vez a razones inconscientes. Su impotencia es parte del desmoronamiento del simulacro. Hay algo en Trujillo que no colabora en la violación de la hija del más amante de sus seguidores. Su cuerpo desaprueba lo que quiere su mente. Aquí está nuevamente la culpa que emerge con el hundimiento de su autoengaño. La intuición de su impostura. En definitiva no es el enviado de Dios a quien todo le está permitido.

En las próximas semanas la figura de Urania persigue a Trujillo. No puede desprenderse de ella. De ese «esqueletito» que era sin duda un pésimo presagio. «La muchachita esqueleto le trajo mala suerte». Es ahí donde concibe la posibilidad de regresar a la Casa de Caoba, esta vez con una mujer. Pero justamente es en esos instantes cuando se encuentra con la muerte, cuando finalmente tiene éxito una de las conjuras para asesinarlo. La impotencia de Trujillo es el reencuentro con su humanidad rechazada en nombre de su endiosamiento.

Mientras tanto Urania huye de la Casa de Caoba. Pero no regresa con su padre sino que se va a vivir con las «sisters» de su colegio que pronto le dan una beca y la envían a Estados Unidos, donde a partir de su trabajo se convertirá en una profesional competente y exitosa. No obstante, nunca podrá superar el trauma de su violación, ni podrá tampoco tener relaciones con otros hombres. Seguro no tanto por la brutalidad de Trujillo sino por la traición del padre. Eso de haber sido un regalo cedido por el hombre a quien más quería en el mundo es algo que no puede superar. Su capacidad de confiar y entregarse quedó liquidada para siempre esa noche. Urania vuelve a República Dominicana treinta y cinco años después. Su padre sobrevive penosamente a un ataque cerebral. Es un muerto en vida que se mantiene gracias a una pensión que le envía su hija. El reencuentro con el padre es un acercamiento —y quizá hasta un perdón— pues en algún momento hasta le da de comer en la boca. Pero, en cualquier forma, no hay comunicación.

La Fiesta del Chivo significa para mí el regreso de Vargas Llosa a la gran literatura; ese arte rebelión que explora los escondrijos de la vida humana. El autor logra dar rostro humano al monstruo. Transgrede los estereotipos con sus intuiciones. Crea un mundo convincente, poblado de personajes verdaderos, hasta en su (in) humanidad profundamente humanos.

Creo que este éxito se contrasta con las limitaciones de novelas como la *Historia de Mayta* o, peor aún, *Lituma en los Andes*. En estos relatos, Vargas Llosa se muestra incapaz de dar rostro humano a los fanáticos. Así, en *Lituma en los Andes* los senderistas aparecen como simples robots de carne... Y el desacierto es horrible, pues de alguna manera se filtra también en el informe de la Comisión de Uchuraccay y en el cerrar los ojos frente a la guerra sucia. Si Vargas Llosa hubiera repetido *Lituma en los Andes* en *La Fiesta del Chivo*, Trujillo hubiera sido presentado como un cínico total. Sin afectos, ni culpas, solo pendiente de su propio goce.

La dificultad para humanizar al fanático tiene que ver con las fobias de Vargas Llosa. En todo caso se trata de un límite a ser trascendido. En realidad el cínico y el fanático comparten mucho más de lo que se podría pensar. En el fondo del cínico palpita un fanático, una persona sobre identificada con un rol, con una misión clara en la vida, en realidad con un delirio. Y viceversa, pues en el fondo del fanático se encuentra siempre un cínico, alguien que se cree autorizado a tener todos los goces. La

164

proximidad entre Vladimiro Montesinos y Abimael Guzmán da cuenta de la realidad de esta paradoja.

Quisiera terminar señalando mi admiración por Vargas Llosa y mi deseo porque termine de reintegrarse a su país. Reconociendo sus desaciertos, recibiendo el tributo de admiración que ciertamente se merece y que todos quisiéramos brindarle a plenitud.

* * *

Gonzalo Portocarrero (Lima, 1949) estudió sociología en la Universidad Nacional Mayor de San Marcos y se doctoró en la misma especialidad por la Universidad de Essex, en Inglaterra. Ha sido profesor visitante en Inglaterra, Colombia y Estados Unidos, y actualmente enseña en la Pontificia Universidad Católica del Perú. Es autor de los libros *Racismo y mestizaje y otros ensayos* (1993), *Razones de sangre. Aproximaciones a la violencia política* y *Los rostros criollos del mal* (2003).

MAYTA, CIENCIAS SOCIALES Y LITERATURA

Abelardo Sánchez León

La literatura y las ciencias sociales no necesariamente se han llevado bien. Las ciencias sociales han intentado domesticar y explicar racionalmente una obra de arte. En toda mi juventud fui testigo de ese intento de los sociólogos de encasillar, de tratar de ver la literatura como un documento, o un espejo, que fuese una fuente de conocimiento de la realidad. Mario Vargas Llosa y José María Arguedas han sido utilizados, en el mejor sentido, y a veces en el peor sentido de la palabra, en esa dirección. Para muchos científicos sociales, el mundo indígena fue dado a conocer gracias a la literatura.

Vargas Llosa es un escritor realista que le hace guiños a las ciencias sociales, que dice que su obra se nutre de la realidad y que, por lo tanto, la frontera entre las ciencias sociales y la literatura no se encuentra del todo clarificada. A pesar de que uno de sus personajes, o él mismo cuando aparece como personaje en su novela *Historia de Mayta,* diga lo siguiente: «Por supuesto que no aparece su nombre verdadero —le aseguró—. Por supuesto que he cambiado fechas, lugares, personajes, que he enredado, añadido y quitado mil cosas. Además, inventé un Perú de apocalipsis, devastado por la guerra, el terrorismo y las intervenciones extranjeras. Por supuesto que nadie reconocerá nada y que todos creerán que es pura fantasía». Este es un guiño que desconcierta a todos los sociólogos, que los coloca en *offside*, porque no saben si pueden tomar la literatura de Vargas Llosa como un documento para conocer la realidad.

Mario Vargas Llosa es una persona compleja. Es el peruano más complejo y completo que hay. Es un intelectual en el amplio sentido de la palabra: tiene una imagen pública, es un líder de opinión, es un novelista, un ensayista, un periodista y en un momento clave fue un político en actividad. No conozco otro peruano con ese currículo, con esa capacidad de manejarse en registros diferentes y no confundirlos. Porque cuando hace novela, hace novela; cuando hace ensayo, hace ensayo, y así sucesivamente. Felizmente, no es un Camacho, su famoso personaje que enloqueció confundiendo todos los géneros. Mario Vargas Llosa se mueve en el nivel de las ideas, de las ideologías, tiene una posición clara ante los hechos que muy pocos peruanos tenemos, y por eso también se gana muchas enemistades. No debemos cometer el error de tratar de encontrar sus posiciones políticas en sus novelas. A veces, es cierto, relata historias en sus ensayos, pero en esos casos lo que predomina en una posición determinada ante determinados sucesos. Mario Vargas Llosa es un líder de opinión. Es un columnista, un cronista, un ideólogo en el amplio sentido de la palabra.

Los últimos cincuenta años de la historia peruana no prescinden de la figura siempre importante de Mario Vargas Llosa. En un recuento rápido podemos mencionar el caso Padilla en Cuba y el distanciamiento y ruptura de Mario con la Revolución Cubana, en una época donde romper con la Revolución Cubana era una acto de valentía, de aislamiento, pues se anticipaba en mucho a los acontecimientos posteriores, al endurecimiento de régimen y las posteriores críticas de muchísimos intelectuales; la estatización de la prensa en el gobierno de Velasco; la masacre de Uchuraccay, y el pleito que se compró con el informe de Uchuraccay, en 1983; la estatización de la banca con Alan García; el autogolpe de Alberto Fujimori, en 1992, y el intento de reelección de Alberto Fujimori, en el año 2000, que coincide con la publicación de su novela *La Fiesta del Chivo*. En todos esos momentos está presente la figura de Mario Vargas Llosa, en toda su complejidad, que sin abandonar el lado de novelista y de ensayista aborda simultáneamente todos estos frentes.

Una preocupación de Mario Vargas Llosa es la relación del intelectual con el poder. Su independencia le ha permitido juzgar con dureza el comportamiento de algunos intelectuales peruanos, y es cierto que el intelectual latinoamericano es un intelectual más desvalido, menos protegido por instituciones, y en muchas ocasiones sujeto a becas, a auspicios, a fundaciones. Pero el tema del intelectual y el poder ha estado siempre presente en Mario Vargas Llosa y ha sido siempre el detonante de su distanciamiento ante algunos regímenes, básicamente por el tema de la libertad, el tema de la democracia. Si lo vemos en perspectiva, esta postura viene desde el caso Padilla hasta el intento de Alberto Fujimori, en su tercera elección, y entonces son casi cincuenta años en los que ha demostrado una gran coherencia y una posición valiente.

El Estado es también una de sus preocupaciones, y nos encontramos a un Mario Vargas Llosa más sociólogo que escritor, economista en algunos casos, con el riesgo que significa que los escritores se metan en temas tan confusos como la economía. Veamos, si no, el patético caso del poeta Ezra Pound y sus devaneos económicos. Sin embargo, el discurso de la sociedad civil adquiere mayor vigencia en sus ensayos, y el liberalismo adquiere también una presencia nueva. En perspectiva, el papel político de Mario Vargas Llosa es el de un profesor en las plazas públicas; es decir, en las elecciones de 1990 fue el único candidato que enseñaba, más allá de que uno esté de acuerdo o no, en cada una de sus presentaciones públicas. En aquella década, Mario Vargas Llosa se enfrentaba intelectualmente a una sólida posición de izquierda, que aún tenía vigencia en el electorado. Fue un maestro en todas las manifestaciones, tratando —y lo logró— de elaborar la idea de lo que debía ser una economía liberal y un Estado de derecho. En mi opinión, en él coexisten el novelista, el ensayista, el periodista y el político, y me arriesgaría a decir que son matices, distintas voces, de una misma preocupación. Hay una preocupación amplia que se manifiesta en estos distintos géneros.

Uno de ellos es el tema de la cultura. Como pocos, Mario Vargas Llosa ha trabajado el tema de los desencuentros culturales en la sociedad peruana, ha revivido el tema del indigenismo y ha abordado el tema de Sendero Luminoso en ese contexto, especialmente en el informe de Uchuraccay o en su novela *La guerra del fin del mundo*. Ha planteado los problemas, incluso las contradicciones, entre el indigenismo, el progreso, el desarrollo y la occidentalización, sobre todo en un país como el nuestro, donde la migración relativiza el concepto del indio. Libros como *La utopía arcaica, El hablador, Lituma en los Andes, La guerra del fin del mundo* o el informe de Uchuraccay forman un solo paquete en el que aparecen estas preocupaciones una y otra vez, expresadas de manera diferente según el género. El tema de la dictadura es abordado en *Conversación en La Catedral* y en *La Fiesta del Chivo*, y está vinculado también a una experiencia personal si nos remitimos a la relación que tuvo con su padre. Desde una aproximación psicoanalítica, podríamos plantearnos el tema de un padre tremendamente autoritario y reñido con las artes, y con él la sensibilidad aguda que tiene Mario Vargas Llosa respecto a la dictadura y el autoritarismo.

En *Historia de Mayta,* para terminar la relación entre las ciencias sociales y la literatura, esta se vuele lúdica. Mario Vargas Llosa también juega, lo cual es una maravilla. Siempre se lo vio como una persona seria, una persona realista. Una persona que, como él mismo decía, no creía en el humor en la literatura. Tampoco creía en el deporte, hasta hace poco. Era el escritor comprometido, encarnaba más la figura pública de Jean-Paul Sartre que la de Albert Camus, era el escritor que se alimentaba de la carroña. Esta era la imagen de Mario en mi juventud, en los años sesenta y setenta, cuando lo leíamos con fervor y admiración. En *Historia de Mayta*, que es un libro interesante por muchísimos aspectos, trata el tema de la violencia, y es uno de los primeros libros que aborda la cuestión de Sendero Luminoso en 1984, solo cuatro años después del inicio de la guerra, y un año más tarde del informe de Uchuraccay, redactado en 1983.

Historia de Mayta elabora un recorrido desde una revuelta absurda en Jauja, una tomadura de pelo a un movimiento insurreccional, que es el de Alejandro Mayta y el del alférez Vallejos. Es una revuelta cercana e inspirada en la Revolución Cubana.

Esta novela replantea todos los movimientos de izquierda en América Latina de una manera lúdica y juguetona, les toma el pelo a los trotskistas a través de Alejandro Mayta, y hace lo mismo con algunos temas vinculados a las ciencias sociales. Uno es el de las ONG, ese extraño ser al cual yo pertenezco. Las ONG son tratadas en la literatura, casi por primera vez, a través de esta novela, donde el personaje de Moisés Barbi Leyva es el director de un centro de acción para el desarrollo que recibe becas de Estados Unidos y de la Unión Soviética. El narrador ve cierta claudicación en estos revolucionarios de catacumba convertidos en intelectuales progresistas, porque se han sensualizado, han sido ganados por el whisky, han sido ganados por las becas, han sido ganados por la buena vida. Es una mirada dura, interesante, crítica y al mismo tiempo burlona, que le toma el pelo a las ONG por primera vez, en esta relación que trato de establecer entre literatura y las ciencias sociales. Aunque debo precisar que las ONG latinoamericanas nunca han recibido auspicio de la Unión Soviética y sí han recibido apoyo de países como Holanda, Inglaterra y Francia.

Otro vínculo es la guerra instalada en la ciudad. Estamos en 1983, la novela se publica al año siguiente, y Sendero se traslada a la ciudad mucho más tarde. Sin embargo, ya en la ficción se vaticina lo que va a suceder: una guerra en Lima, en las barriadas abandonadas por la izquierda, pues la izquierda nunca trabajó con las barriadas, al privilegiar su centro de trabajo, las fábricas. Mario se adelanta a los acontecimientos y ubica la guerra con Sendero en la ciudad, que es lo que vimos después y sufrimos con el atentado del 16 de julio de 1992 en la calle Tarata y con el asesinato, por ejemplo, de María Elena Moyano. Por último, Alejandro Mayta, como todos los revolucionarios, acaba en la cárcel y, como muchos de los revolucionarios de la época, pienso en Hugo Blanco, sale de la cárcel. En cambio, los militantes de Sendero Luminoso y los del MRTA no salieron y crearon una cultura y una estética carcelaria. Había banderas y marchas, y tenían los pabellones más limpios y ordenados, todo ello producto de una disciplina maoísta. Pero Mayta sale de la cárcel y al final de la novela le dice al narrador: tú sabes más que yo, tú has hablado con muchas más personas, cuéntame cómo es mi vida en realidad.

Creo que Mario es consciente de que él es un escritor, básicamente un novelista, pero que es también un intelectual que reflexiona sobre su actividad, sobre su profesión, sobre el acto creador, sobre su sociedad y su tiempo. Mario Vargas Llosa ha enriquecido el vínculo entre literatura y ciencias sociales, le ha quitado el maniqueísmo, le ha quitado la predominancia del uno sobre el otro. Evita que las ciencias sociales utilicen la literatura para probar ciertas tesis. La preocupación de Vargas Llosa para diferenciar y vincular la verdad y la mentira, la realidad y el acto creador, no puede ni debe simplificarse. Y esa actitud debemos agradecérsela.

* * *

Abelardo Sánchez León (Lima, 1947) es poeta, novelista, periodista y docente universitario. Ha publicado los poemarios *Oh túnel de La Herradura* (1995) y *El mundo en una gota de rocío* (2000) y las novelas *La soledad del nadador* (1996) y *El tartamudo* (2002), así como los libros de crónicas *La balada del gol perdido* (1993) y *El viaje del salmón* (2005). Dirige la revista de análisis político y actualidad cultural *Quehacer*, órgano institucional de Desco.

LA HISTORIA EN LA OBRA
DE MARIO VARGAS LLOSA

UNA APROXIMACIÓN HISTÓRICA A
CONVERSACIÓN EN LA CATEDRAL

Iván Hinojosa

Es un lugar común señalar que la novela *Conversación en La Catedral* constituye la mejor aproximación histórica a los años cincuenta, sobre todo a la dictadura de Odría, y mucho más que numerosos trabajos de ciencias sociales. Esta afirmación es bastante cierta, especialmente si tomamos en cuenta la ausencia de estudios sobre el tema. En general, los historiadores peruanos han evitado tratar asuntos contemporáneos, porque de alguna manera pueden involucrar a gente aún con vida. Y, además, existe un problema adicional: la sobreabundancia de información. Hay una gran cantidad de información documental que hace que la tarea se complique.

En el caso de *Conversación en La Catedral*, se puede identificar una enorme cantidad de referencias históricas, si bien se trata indudablemente de una obra de ficción. De hecho, en la escritura de Mario Vargas Llosa hay una preocupación permanente y exhaustiva por reproducir fielmente contextos y personajes históricos, en los que el autor va introduciendo sus ficciones. Muchas veces me he preguntado si Vargas Llosa, discípulo y colaborador de Raúl Porras Barrenechea, no es una especie de historiador *in pectore*. Con esto no quiero decir que sus novelas sean libros de historia, pues eso sería terrible para un escritor: proponerse hacer una ficción y terminar haciendo libros de historia. Tampoco quiero decir que escribir libros de corte histórico sea tan terrible, sino que pienso que en ella hay siempre un material para poder elaborar una reconstrucción histórica: espacios físicos, ambientes, relaciones sociales, figuras políticas o mentalidades. Incluso en los casos en los que algunas de las descripciones no tienen un sustento poderoso, como pueden ser algunas de descripciones sobre los Andes, siempre hay una visión coherente que de alguna manera puede ser recogida por ciertos sectores de la sociedad peruana. Y esto se extiende a la mayor parte de su obra, no solamente a la ficción. Los textos de Vargas Llosa son muy útiles para entusiasmar a los estudiantes en los cursos de historia contemporánea, lo sé por experiencia. Uno puede posicionarse a favor en contra de lo que dice el autor, pero difícilmente podrá permanecer indiferente.

A continuación, me referiré a algunos temas históricos tratados en *Conversación en La Catedral*, concentrándome en ciertos aspectos: primero en Odría y el Perú de los años cincuenta, para luego reflexionar acerca de las dictaduras del momento, y después sobre esta figura tan particular de Alejandro Esparza Zañartu, en la novela conocido como Cayo Bermúdez y no por su verdadero nombre.

He leído *Conversación en La Catedral* tres veces: la primera en 1978, en las postrimerías de la dictadura militar de Morales Bermúdez; la segunda en 1989, en medio de los caóticos años terminales de García, y la tercera tras decenio de Fujimori y Montesinos. Debo confesar que esta última lectura me estremeció por su actualidad. Y no porque la sociedad peruana se parezca más a la de los años cincuenta, ya que hay abismales diferencias. Para comenzar, ni Lima ni los limeños son los mismos. Me refiero, más bien, a elementos como los mecanismos del poder autoritario, la complicidad con este, la corrupción y la venalidad de los políticos y por último, y no menos importante, el desconcierto pesimista con respecto al futuro del país.

Aunque la novela cubre un arco temporal que excede al ochenio de la dictadura de Odría (1948-1956), es indudable que es el eje temático de la novela. Creo se trata de la dictadura peruana que más se ha parecido a la de sus pares latinoamericanos, en cuanto a su carácter represivo contra toda forma de oposición organizada, a su proverbial corrupción y a su alineamiento grotesco con los Estados Unidos en términos económicos y políticos. Sin embargo, si bien Odría realizó una feroz persecución contra apristas y comunistas, que trajo la muerte, la prisión y el exilio a muchas personas, no fue indiscriminadamente sanguinaria ni alcanzó las terribles cifras de asesinato de otros lugares. Obviamente, no se trata de establecer una competencia macabra de estadísticas. Pero, por lo general, las dictaduras peruanas no han producido muertes a gran escala. En un importante libro reciente, Cristóbal Aljovín ha analizado las pugnas políticas de los caudillos en las primeras décadas de la vida republicana y ha encontrado que, a diferencia de otros países latinoamericanos, en el Perú no proliferaron, incluso en esa época, los ardores sanguinarios. Y con esto no quiero dar a entender que nuestros dictadores han sido subdesarrollados en lo que se refiere a su capacidad de ejercer la violencia, ni más benignos en este aspecto. ¿Alguien podría imaginar, por ejemplo, lo que hubiese sido el Perú si Odría y Esparza hubieran enfrentado una amenaza como la de Sendero Luminoso?

Con esta afirmación me propongo simplemente reflexionar sobre un rasgo de la cultura política peruana que indica un saldo desfavorable para la democracia. Las dictaduras han logrado estabilizarse con relativa facilidad, dotándose de respaldo popular y de la colaboración solícita de las élites económicas. Y, como se sabe, es más duradero un gobierno fuerte que reprime que uno débil que hace lo mismo. Odría, por ejemplo, pudo darse el lujo convocar elecciones amañadas a menos de dos años de haber derrocado al presidente Bustamante y de convertirse en presidente pseudoconstitucional, con el cien por cien de los votos y reabriendo el Congreso. En realidad, y esto es un paréntesis, en tiempos recientes la mayoría de las matanzas con participación del Estado han ocurrido bajo un gobierno democrático, algo que está lejos de enorgullecernos. En cuanto a la corrupción, el gobierno de Odría es considerado uno de los más altos exponentes peruanos en el género. A pesar de eso, la corrupción política a gran escala y generalizada no ha sido una constante en el Perú para estándares latinoamericanos, entre otras razones porque el Estado ha sido bastante más débil que en otros países en buena parte del siglo XX.

Lo que ha sido muy difundido, y aquí recojo la distinción que hace Claudio Lomnitz para México, es la corrupción como una categoría cultural que interviene en las relaciones sociales, en la actividad económica o en el ejercicio del poder. En el caso de Odría y su entorno, a nadie le puede sorprender que ocurriesen enormes negociados y que sus partidarios se beneficiasen. En realidad, este tipo de cosas sucede a escala mundial, incluso en las democracias más avanzadas. Lo que cambia en el caso de las dictaduras es la imposibilidad de denunciarlo públicamente, ya sea por la falta de libertad de expresión o por la autocensura cómplice de los propietarios de los medios de comunicación. Con Odría, además, está la cuestión de la impunidad, pues no se investigó, y menos juzgó, a responsable alguno por lo acontecido en el ochenio. El general se convirtió en un actor reconocido de la política peruana hasta su muerte, siendo candidato presidencial con elevada votación en dos oportunidades. Por ello, el gobierno civil que siguió a Odría, la segunda presidencia de Manuel Prado, recibiría también importantes acusaciones de corrupción. Como Zavalita diría ácidamente a su padre en una parte de la novela, ahora se roba guardando ciertas formas, por eso la gente lo nota menos. Más allá de las retóricas y las anécdotas, el legado de una cultura política de corrupción estatal e impunidad que dejaron los cincuenta pesaría mucho en la cultura política peruana de los años siguientes y serviría de argumento para varias aventuras desesperadas.

En cuanto a la vinculación con Estados Unidos, Odría recibió el apoyo de Washington al ser un destacado perseguidor de comunistas. No en vano, el general recibió en 1953 la Legión del Mérito por sus servicios a la democracia continental, algo que no se ha repetido con otros mandatarios de nuestro país. Si bien estas dictaduras anticomunistas eran asumidas como una especie de gendarmes necesarios muy difundidos en nuestro continente, lo que es nuevo y crucial para el Perú es el proyecto de liberación de la economía que realizó Odría a pesar del enorme gasto público. Abrió la economía, pero al mismo tiempo mantuvo una gran capacidad de gasto en obras públicas, gracias a la eliminación de controles, y facilitó el ingreso de capitales norteamericanos a la economía peruana. Independientemente de los resultados exitosos que producen algunas de estas medidas, terminado su mandato en el Perú había compañías norteamericanas que controlaban casi exclusivamente actividades como la minería, el petróleo o la electricidad. En realidad, esto contribuyó al desarrollo de una posición antinorteamericana, nueva en el país, que tendría su momento cumbre en los incidentes producidos en las protestas contra la visita de Richard Nixon al país, cuando era vicepresidente en 1958, y el gran apoyo posterior a la causa cubana.

Otro tema que quería tratar era Esparza Zañartu. Como comentaba anteriormente, en la última lectura de *Conversación en La Catedral* encontré una gran actualidad. Uno de los aspectos donde esto se manifiesta más claramente es en el papel del director de Gobierno de Odría, y luego ministro de esa cartera, Alejandro Esparza Zañartu. No hay que ser muy perspicaz para darse cuenta de que esta figura, retratada en la ficción como Cayo Bermúdez para la posteridad, lleva casi automáticamente a pensar en Vladimiro Montesinos. Los paralelismos en cuanto a la función desempeñada y, sobre todo, a los métodos empleados son enormes. Pero no hay que caer en comparaciones fáciles, pues es bien sabido que las dictaduras incuban muchas veces monstruos inverosímiles que superan la imaginación de los escritores.

El mismo Esparza se mofaba de todo lo que él habría podido contar a Vargas Llosa de haber sido consultado, dando a entender que la realidad superaba a la ficción. Lo cierto es que, en la dimensión de lo siniestro, Montesinos sobrepasa ampliamente a Esparza. Mucho mejor preparado que el poco cultivado comerciante de vinos reclutado por Odría, Montesinos parece haber tenido una larga carrera de intrigas y contactos nacionales e internacionales previos que le facilitaron la tarea, aparte de contar con recursos tecnológicos que le permitieron afinar una tenebrosa maquinaria de vigilancia y corrupción que lo llevarían al éxito primero y luego a la ruina. Frente a ella, la efectiva red de soplones y extorsiones de Esparza-Cayo Bermúdez palidece por su escasa sofisticación, pero fue eficaz para la consolidación y supervivencia del régimen. En mi opinión, Esparza fue más bien un cirujano de hierro, para usar la fórmula franquista, no muy afecto a los vaivenes políticos aunque entregado a su tarea de represión y seguridad interna. Montesinos, en cambio, da la impresión de haber sido una suerte de primer ministro en la sombra. En este sentido, la diferencia no viene solamente por calificaciones personales o recursos tecnológicos. Viene fundamentalmente por la naturaleza del régimen y el perfil del gobernante.

Odría da el puntillazo final a un gobierno civil en escombros contando con el apoyo de los militares de las élites económicas y de la prensa, mientras que Fujimori llega por accidente, sin entorno político ni ideas propias, pero a través de elecciones democráticas. Odría, sin embargo, tiene una larga carrera que abarca desde su lugar destacado en la escuela militar hasta su cargo de ministro de Estado durante el gobierno de Bustamante —el mismo presidente que él derrocó—, pasando por una reconocida participación en el conflicto militar con Ecuador de 1941. En otras palabras, Odría no era un advenedizo en los círculos de poder. Lo que precisaba era de un civil, como Esparza Zañartu, que se moviera libremente entre los uniformados y que reportara directamente al gobernante, sin tener pretensiones de estadista y sin capacidad de relevarlo. Obviamente podría enriquecerse en el cargo, y al parecer lo hizo con mucha dedicación, mediante comisiones irregulares y presupuestos secretos. Lo difícil es imaginarlo manejando el presupuesto de defensa o preparando proyectos de ley para la bancada odriísta. En cambio, en el caso Fujimori-Montesinos, la precariedad presidencial fue suplida con creces por el asesor todoterreno, que excedía de largo el ámbito de la seguridad interna. No menos importante es el hecho de que, como pocas veces en la historia reciente del país, un gobierno manejara directa y aparentemente sin control tanto dinero en efectivo.

Volviendo a lo mencionado al principio, creo que la vigencia y relevancia de *Conversación en La Catedral*, como un libro fascinante para alguien interesado en la historia contemporánea del Perú y de América Latina, no radica solamente en haber reconstruido el entorno y los mecanismos de uno de los periodos cruciales de la vida nacional peruana —hay que recordar que la dictadura de Velasco, en términos económicos e ideológicos, fue la culminación del antiodriísmo incubado desde los años cincuenta—. En realidad, más allá de haber retratado verazmente a tal o cual personaje o circunstancia, la maestría de Vargas Llosa está en no haber caído en los anacronismos, que como sabemos son el pecado supremo del historiador. Lo que el autor logró fue dejarnos un registro inigualable de una sociedad peruana, sobre todo limeña, previa al gran desborde popular que explotaría años después y que ya no existe más. Pero, al mismo tiempo, ubicó algunas fibras muy profundas del uso del poder y la cultura política en el país. Entre ellas, podemos mencionar el autoritarismo y la corrupción, la escasa lealtad de los políticos, la predisposición cortesana de las élites económicas y el no menos importante gusto por la mano dura y el clientelismo entre las masas, siempre y cuando vengan acompañados de beneficios económicos.

* * *

Iván Hinojosa es historiador, docente y coordinador del departamento de Humanidades de la Facultad de Humanidades en la Pontifica Universidad Católica del Perú. Participó en la elaboración del informe de la Comisión de la Verdad y la Reconciliación.

VARGAS LLOSA Y
LA GUERRA DEL FIN DEL MUNDO

Juan Luis Orrego

Hablar de *La guerra del fin del mundo* es sumergirnos en uno de los momentos más simbólicos de la historia del Brasil: el tránsito de la monarquía a la república, en un país que se debatía en dos grandes causas, el abolicionismo y el republicanismo. En efecto, una de las tareas de la República fue emancipar a los esclavos en una sociedad donde Río de Janeiro, por ejemplo, tenía más esclavos que la Roma imperial. El objetivo central era convertir a esa masa humana, sin empleo ni instrucción, en ciudadanos. En otras palabras, se trataba de transformar una sociedad y un sistema económico jerárquico, basado en la esclavitud, en un Estado-nación moderno definido por el territorio, con una constitución escrita y con ciudadanos iguales ante la ley y conscientes de sus derechos y responsabilidades.

El centro de la novela es un hecho histórico: Canudos era una hacienda abandonada al norte del estado de Bahía donde, en 1893, se establecieron Antônio Vicente Mendes Maciel, más conocido como Antônio Conselheiro, y sus seguidores. En el corazón del *sertão* (tierras del interior) surgió una ciudad con una población que osciló entre los veinte mil y treinta mil habitantes. Estos derrotaron a varias expediciones militares enviadas para aplastarlos, a pesar de la desigualdad de fuerzas. En octubre de 1897, finalmente, tras una lucha de varios meses, Canudos fue destruida. Sus defensores, unos cinco mil en la fase apocalíptica de la guerra, murieron en combate o fueron capturados y luego ejecutados.

La guerra de Canudos, sin embargo, no fue un movimiento aislado. Pertenece al fascinante escenario del mesianismo brasileño que, entre 1800 y 1936, originó unos siete movimientos debidamente registrados. Entre ellos podríamos mencionar algunos. El primero, el de Silvestre José dos Santos, llamado el Profeta, estalló en Pernambuco en 1817, en una localidad llamada Rodeador, con el propósito de fundar la Ciudad del Paraíso Terrenal. Según el Profeta, allí se produciría el advenimiento del rey Dom Sebastião con su ejército. En este lugar dominó a sus seguidores usando códigos y simbolismos católicos hasta 1820, año en que fueron masacrados por el gobernador del Estado.

El segundo mesianismo apareció en vísperas de 1836, también en Pernambuco. Su líder fue otro «peregrino», quien predicaba que Dom Sebastião estaba a punto de desembarcar y traer una gran riqueza a sus seguidores. De esta manera se creó una comunidad con sus propias leyes; la más polémica de ellas fue la que autorizaba a los hombres tener varias esposas. Las bodas, además, eran celebradas por un sacerdote quien decía que el «peregrino», João Ferreira, tenía derecho de pasar la primera noche con la desposada. El 14 de mayo de 1838, Ferreira empezó a realizar sacrificios humanos para «romper el encantamiento» y decapitó a su propio padre, derramando su sangre sobre unas rocas encantadas. Al día siguiente, varios miembros de la secta habían muerto y las rocas estaban bañadas con la sangre de trece niños.

El tercer movimiento, y el más grande y complejo de todos, fue el de Canudos. Como las biografías de los anteriores líderes, Conselheiro revela el perfil típico del renunciante. Sus dos matrimonios fueron desafortunados y su segunda esposa lo abandonó por un policía. Conselheiro vagó por el interior de Bahía reparando muros de cementerios e iglesias vestido con túnica, con la típica cabellera y una larga barba. Se creó todo un mito en torno a su vida.

Finalmente tenemos el movimiento de Contestado al sur del país, en una zona fronteriza disputada por los estados de Paraná y Santa Catarina. Se inició en 1911 bajo el liderazgo de José María quien murió en los primeros choques y fue proclamado santo por los rebeldes. A diferencia de Canudos, el movimiento no se limitó a un centro concreto, sino que se desplazó por diferentes puntos debido a la presión de las fuerzas militares. La rebelión fue sofocada en 1915, cuando los rebeldes fueron atacados y destruidos por seis mil soldados del ejército y la policía, ayudados por mil civiles que se unieron a la represión.

Estos movimientos, especialmente los de Canudos y Contestado eran intentos a la vez populistas, heroicos, trágicos y, por qué no decirlo, absurdos de crear una forma alternativa, y fueron lo suficientemente peligrosos como para que tuvieran que ser aplastados brutalmente por las fuerzas militares. Sin embargo, esto no quiere decir que fueron totalmente opuestos a la estructura de poder de los coroneles. Recordemos que Antônio Conselheiro, antes de establecerse en Canudos, había sido miembro practicante del catolicismo, viviendo una vida ascética y nómada. Convocaba gente para construir y reconstruir iglesias. También construyó muros en torno a los cementerios y mostró interés por las pequeñas iglesias parroquiales del interior. Asimismo, tenemos evidencias de que en esta fase de su vida era visto con buenos ojos por los *coroneles*, para los cuales sus disciplinadas huestes construyeron carreteras y pequeñas presas. Incluso el propio pueblo de Canudos no era muy diferente al tipo de asentamiento del interior. En él había un cierto grado de diferenciación económica y social, un nivel considerable de comercio con las zonas circundantes y vínculos religiosos con las parroquias vecinas. En las coyunturas electorales, por último, Canudos era una fuente de votos e influencias.

Lo mesiánico de estos movimientos, tal como lo señala el antropólogo brasileño Roberto Da Matta, es que estuvieron formados y sostenidos por un liderazgo carismático y por la fidelidad de las masas. Se sitúan en la religiosidad popular y recrean cultos de origen africano y espiritistas, así como en estilos rústicos del cristianismo. Todos, prácticamente, tienen algunos elementos comunes. En primer lugar, un líder carismático y absoluto, como «madre», «padre» o «santo» que es el responsable de su «familia» de seguidores que viven en una comunidad basada en normas especiales, en contraste a las leyes universales de la vida social y, por lo tanto, opuestas a la vida nacional. Segundo, la «familia» cree que el líder está en contacto directo con fuerzas sobrenaturales debido a una experiencia extraordinaria. Tercero, la «familia» acepta que las normas establecidas por el líder serán seguidas por todos. Cuarto, la «familia» cree que el líder posee facultades sobrenaturales (curar enfermedades o predecir el futuro) y tiene una comprensión infalible sobre la vida y la muerte. Esto lo hace capaz de guiar a sus seguidores, establecer un culto o formular planteamientos políticos. Y, por último, al rechazar las normas oficiales requieren establecer un espacio especial (templo, casa, ciudad) que sirve de escenario para los rituales de la secta.

Todos estos movimientos mesiánicos estallaron antes o después del advenimiento de la República. Pero la República, podríamos decir, fue un movimiento mesiánico creado por un golpe militar cuyo objetivo fue la unificación política del Brasil; su líder mesiánico era Augusto Comte y su lema rezaba: *orden y progreso.* No podemos sorprendernos, entonces, de que algunos sectores populares reaccionaran violentamente. En 1889, por ejemplo, el Estado y la Iglesia decidieron ejercer un control más severo sobre sus instituciones y personal; para ello fue necesario hacer observar normas escritas, por oposición a la autoridad personal. De otro lado, en 1874, se impuso el servicio militar obligatorio, que fue visto como una invasión autoritaria del hogar y un síntoma de que la meta de los republicanos era la destrucción de las costumbres tradicionales. Más adelante, en 1891, se institucionalizó el matrimonio civil; muchos interpretaron que esa ley abolía las antiguas preferencias tradicionales, como la unión de parientes cercanos, y también se pensó que era subversiva porque no reconocía la validez del matrimonio religioso si no estaba acompañado del civil. En suma, se establecían leyes escritas y una serie de formalidades que eran administradas por anónimos funcionarios estatales y no por sacerdotes o los patrones, como era lo tradicional. El mismo Conselheiro reaccionó contra esta última ley. Por último, la construcción acelerada de ferrocarriles permitió la penetración de nuevas formas de comercio y estilos de vida al interior del país. Se terminaron de unificar los sistemas de pesos y medidas y los negocios e intercambios directos; también los nuevos precios y otros mecanismos de medida que permitieron calificar la pobreza y la riqueza. Todo esto sin considerar el establecimiento de nuevos impuestos para la joven República.

La «desgracia», entonces, consistió en que ya no se podía vivir en una comunidad de personas compuesta de parientes, padrinos, amigos cercanos y enemigos bien reconocidos. Ahora la gente se enfrentaba a un nuevo sistema compuesto por extraños y una población flotante de personas, incluidos los inmigrantes, desvinculadas de la política local, a los que solo les interesaban los negocios. En síntesis, el crecimiento de lo impersonal quebró la antigua moral familiar. Los republicanos tenían la ilusión de que bastaba con emitir decretos para transformar un país tan vasto y complejo como el Brasil. No debemos sorprendernos, pues, de que miles de personas, sobre todo del interior, no pudieran hacer frente a estos cambios y se cobijaran en alguien que renunciara a todo.

Los rebeldes de Canudos fueron acusados inicialmente de «monárquicos». Luego vino a sumarse otro elemento: el rostro desconocido del enemigo. La opinión pública no entendía quién era, qué pretendía, qué lo motivaba, por qué resistía, en nombre de qué luchaba, qué lo hacía apegarse con tanta furia a ese desierto de piedra y cactus tan alejado de cualquier camino. Con seguridad no eran brasileños: eran bandidos, fanáticos, herejes, perversos, animalescos, traicioneros, reaccionarios... Había que aplastarlos al grito de ¡viva la República! ¡La República es inmortal!

Sin embargo, el final de la guerra y la manera en que ese final fue conseguido causaron un trauma indeleble en el sector ilustrado de los brasileños. Las noticias fueron llegando: como el poblado no se rendía, fue ocupado lentamente en sangrientas batallas y la «solución final» fue lograda por el uso de una forma primitiva de *napalm*. Sistemáticamente se arrojó querosene encima de los ranchos, después de lo cual se tiraban bombas de dinamita cuya explosión causaba grandes incendios. Periodistas y soldados vieron a sus habitantes incinerados, vieron cuerpos en llamas, vieron mujeres con sus hijos en brazos arrojándose al fuego.

Todo el mundo se escandalizó: ahora los canudenses eran «brasileños» y «hermanos». Los muertos se volvieron compatriotas. Rui Barbosa, una gloria republicana, que antes se había referido a ellos como «horda de mentecatos y galeotes», los llama ahora «mis clientes» y declara que va a pedir el *hábeas corpus* para ellos, para los muertos, claro. Hay un proceso generalizado de *mea culpa*, es decir, una perturbación causada, en mucho, por el famoso libro de Euclides da Cunha, *Os Sertões* (1902), que relató así el final del conflicto: «Canudos no se rindió. Ejemplo único en toda la historia, resistió hasta el agotamiento completo. Expugnado palmo a palmo, en la precisión integral del término, cayó el día 5 [de octubre] al atardecer, cuando cayeron sus últimos defensores, que todos murieron. Eran cuatro apenas: ¡un viejo, dos hombres y un niño, frente a los cuales rugían rabiosamente cinco mil soldados!».

Mario Vargas Llosa no escogió la Historia como quehacer académico. Sin embargo, a lo largo de su trayectoria intelectual siempre ha estado vinculado a ella como método de investigación para entregarnos grandes novelas. *Conversación en La Catedral, La guerra del fin del mundo, Historia de Mayta* o *La Fiesta del Chivo* son algunos ejemplos de un, a veces, colosal trabajo de reconstrucción histórica; incluso sus memorias, *El pez en el agua,* o en sus ensayos periodísticos de la serie *Piedra de toque* podemos notar lo que llamamos un «ejercicio historiográfico».

Esta inclinación por la Historia, creo, se consolidó por su relación, allá entre 1954 y 1955, con Raúl Porras Barrenechea, cuando tuvo que leer y fichar en la casa del célebre erudito las crónicas de los siglos XVI y XVII. Allí descubriría, como anota en *El pez en el agua,* «la aparición de una literatura escrita en Hispanoamérica, y fijan ya, con su muy particular mezcla de fantasía y realismo, de desalada imaginación y truculencia verista, así como por su abundancia, pintoresquismo, aliento épico, prurito descriptivo, ciertas características de la futura literatura de América Latina».

Por ello me parece pertinente referirme al trabajo de reconstrucción histórica que dio como resultado *La guerra del fin del mundo*, acaso la novela más total de Vargas Llosa. Me centro en aquella novela porque el trabajo historiográfico fue también total, es decir, reunir y consultar un inmenso material documental, entrevistar a decenas de personas vinculadas por alguna razón con el hecho histórico y, finalmente, la visita al lugar de los acontecimientos.

Escribir la novela le tomó cuatro años. Inicialmente se enfrentó a un vértigo de información pues consultó, prácticamente, todo lo que se había escrito sobre la guerra de Canudos. El vértigo se inició al leer en portugués *Os Sertóes* de Euclides da Cunha, un manual de latinoamericanismo como confiesa el mismo Vargas Llosa. Si bien es cierto esa lectura fue para elaborar un abortado proyecto cinematográfico de Ruy Guerra, la historia de Canudos atrapó a nuestro novelista. Siguió reuniendo material y, gracias a la ayuda desinteresada de mucha gente, tomó forma el proyecto literario. Una de esas personas fue Alfredo Machado, presidente de la editorial brasileña Record, quien le fotocopió centenares de páginas de artículos y libros sobre Canudos; asimismo Nélida Piñon y el historiador José Calazans, quizá el hombre que más sabía sobre Canudos. En Bahía trabajó en el Archivo Histórico y en la Biblioteca del Congreso de Washington reunió material que no encontró en el propio Brasil como la colección completa de *O Jacobino*, un periódico muy influyente durante los años del levantamiento.

El viaje al *sertão* lo emprendió gracias a la ayuda de Jorge Amado. Él le presentó al antropólogo Renato Ferraz, quien había sido director del Museo de Bahía y vivía, por ese entonces, en Explanada, una pequeña ciudad enclavada en el *sertão*. Gracias a él conoció al milímetro la zona, anduvo por casi una treintena de poblados y pudo entrevistarse con decenas de personas. Finalmente llegaron a Canudos, que está al fondo de una laguna. Fue al monte donde estuvo la iglesia de los rebeldes y vio su cruz, plantada allí todavía, llena con los impactos de bala. Ese viaje fue dos años después de haber iniciado el proyecto de la novela. Él mismo confiesa: «Fue el momento culminante del viaje. Hasta allí, el trabajo, para mí, había sido muy angustioso, pero desde ese momento hasta que terminé la novela, que fue dos años más tarde, me parece, trabajé con un entusiasmo enorme, dedicando a esto diez, doce horas al día». De esa forma vio la luz no un libro de historia ni una novela apegada a la historia sino, como reconoce el autor, una mentira con conocimiento de causa.

Como historiador, creo que el mérito de Vargas Llosa fue regalarnos, a través de la literatura, lo que los historiadores siempre hemos soñado realizar: una *historia total*; un proyecto casi imposible, tal como lo intentó alguna vez Ferdinand Braudel en su libro *El Mediterráneo y el mundo mediterráneo en la época de Felipe II*. Esa es, quizá, la sana envidia que tenemos los historiadores hacia los novelistas.

* * *

Juan Luis Orrego es historiador y profesor del Departamento de Humanidades de la Pontificia Universidad Católica del Perú. Es autor del libro *La ilusión del progreso: los caminos hacia el Estado-nación en el Perú y América Latina, 1820-1860*, y ha publicado artículos en periódicos y en revistas de historia. También ha impartido conferencias en diversas reuniones académicas y universidades del Perú, América Latina y Europa.

EL PERÚ COMO NACIÓN EN
DOS NOVELAS DE VARGAS LLOSA

Manuel Burga

El tema que voy a tratar, la historia en la obra de Vargas Llosa, es un tema de enorme amplitud, porque podríamos decir que la historia está presente en toda su obra. Para ello, he escogido una entrada y una metodología para aproximarme al tema. Elegiré dos novelas y partiré de dos citas, que serán dos citas de apoyo metodológico, aunque para los especialistas son lugares muy comunes, bastante triviales. La primera es de Jean-Paul Sartre, mencionada en un libro tan conocido y que ya nadie quizás ha retomado: *¿Qué es la literatura?* Sartre explica que el autor no participa ni conjetura: proyecta. Eso me interesa en tanto la obra de un novelista proyecta una realidad, la realidad histórica de su escenario.

Por otro lado, Benedict Anderson tiene un libro que se llama *Comunidades imaginadas. Reflexiones sobre el origen y la difusión del nacionalismo* (1983, edición revisada de 1991), que fue realmente lo que me inspiró para ingresar en el terreno del análisis de la novela del siglo XIX. En el libro de Anderson hay una serie de afirmaciones muy comunes en el mundo de los historiadores: que la nación moderna surge a finales del siglo XVIII, que el nacionalismo antecede a la nación y que el nacionalismo es saludable porque es el creador de la nación. Normalmente, pensábamos que el nacionalismo era una consecuencia de la nación. Pero, y esta es una afirmación de Brown que está articulada dentro de la propuesta de Anderson, el nacionalismo construye la nación. Lo que Anderson quiere decir, y por lo cual yo lo cito como instrumento conceptual, es que la nación es una comunidad imaginada. Esta es su sencilla propuesta y la razón de que su libro tuviera tanto éxito.

En uno de los capítulos, él explica que las novelas constituyen una de las fuentes más importantes para determinar el surgimiento de las naciones modernas en contextos europeos, del sudeste asiático y también de América Latina. De acuerdo a su propuesta, que está tomada de otros autores como Benjamin, las naciones surgen cuando surge un imaginario nacional, a pesar de que es una trivialidad decirlo. Pero, a su vez, el imaginario nacional surge cuando surge un tiempo transversal, cuando hay una simultaneidad transversal y pasamos a un tiempo homogéneo o vacío. ¿Y qué es este tiempo vacío? Cuando hay una cadena de cuatro personajes en un texto literario (A, B, C, D), y A nunca se encuentra con D, el lector hace que los personajes se encuentren y conformen una suerte de comunidad imaginaria. Eso es lo que hace que las naciones comiencen a aparecer en los textos literarios.

Quisiera partir de estas dos cuestiones metodológicas para analizar dos obras de Mario Vargas Llosa, centrándome en el último tercio del siglo XX, y ver cómo se reflejan su obra. Los rasgos de esta época, que abarcaría desde 1969 hasta el año 2000, serían los siguientes. En primer lugar, la crisis económica y la crisis social que afecta sobre todo a las élites. En segundo lugar, durante este periodo hay fuerzas centrífugas y antrópicas que han afectado al conjunto de la sociedad y esto se ha manifestado también por una forma de fanatismos políticos e ideológicos. En tercer lugar, la presencia permanente de militares, dictaduras, corrupción, aunque tras esos años hemos tenido democracia y se ha acentuado su desarrollo. Por último, en el marco de esta situación democrática, hay un ambiente de pesimismo, una situación de pobreza, de derrota y de fracaso en el Perú.

Estas tres décadas han sido atravesadas por estos elementos que forman parte de las afectividades o mentalidades colectivas en nuestro país. Pero, si bien tenemos cuatro elementos, cuatro rasgos distintivos de este periodo, podríamos decir que son negativos. En el escenario de fondo del Perú de esta época, tenemos una presencia innegable que es la nación peruana y, a pesar de esos elementos, hay un elemento positivo al final.

Aquí, y probablemente algunos no estarían de acuerdo con lo que yo indico, esta arquitectura social e imaginaria de la que nos hablaba Anderson se vuelve más real en el Perú, y tengo la impresión de que la nación se ha construido.

Ahora, ¿cómo voy a aplicar los dos elementos conceptuales que he citado al principio? Voy a hacer un atrevimiento saliéndome de mi campo de historiador. Si bien he hecho un análisis para siglo XIX de la novela de Irisarri, *El cristiano errante*, y la de Pedro Dávalos Lissón, *La ciudad y los reyes*, quiero ensayar ahora algo similar con estos elementos conceptuales: que la novela refleja la realidad histórica y que es un texto interesante para que los historiadores puedan determinar el surgimiento de las naciones. En *Conversación en La Catedral*, Santiago Zavala es el personaje alrededor del cual gira toda la narrativa de la novela. Además, también encontramos un lugar muy concreto, La Catedral, que es el escenario donde se desarrolla gran parte de las conversaciones, y una época, que es la del gobierno de Odría (entre 1948 y 1956), una época que termina en una onda de prosperidad capitalista después de la guerra de Corea y, a pesar de eso, en una situación difícil de la democracia peruana. Asimismo, la novela nos presenta un escenario social, que es el escenario de la clase media limeña, con algunos pobres simbólicamente representados pertenecientes a los sectores menos favorecidos. Estos pobres me recuerdan a los personajes de la novela de Pedro Dávalos Lissón, pero aquí en La Catedral están mucho más interrelacionados. La preocupación fundamental que se enuncia en la novela, y que probablemente sea un elemento del mundo de la época, de los escenarios universitarios, es la preocupación por el cambio social. El cambio social lo expresa el personaje central, Santiago Zavala, y refleja esta angustia por el cambio, por la descomposición de la élite limeña y por el intento de remitir esta descomposición total del país y plantearse la conocida pregunta, la cual se ha citado constantemente. Creo que *Conversación en La Catedral*, publicada en 1969, es un libro extraordinario que refleja el Perú no solo de los años cincuenta, de la época de Odría, sino también el de los años posteriores, de la década del setenta.

Ahora voy a trasladarme a 1994, con *Lituma en los Andes*. Este año es interesante, porque nos encontramos dos años después de la captura de Abimael Guzmán y de la violencia política en Lima —el atentado de la calle Tarata— y se comienza a sentir la pacificación en la sociedad peruana. En la novela, los personajes pertenecen a una saga que forma parte de la narrativa de Vargas Llosa, dentro de la cual hay un personaje, el sargento Lituma, que está presente en otras novelas. Cuando decidí escribir algo sobre esta novela lo hice solamente para dar respuesta a algunos que decían que el autor no conocía el mundo andino y explicar que detrás de los personajes, tal como yo había percibido con las figuras de Adriana y de Dionisio, había toda una metáfora europea trasladada al mundo andino que pretendía mostrar la incomunicación de los grupos sociales. Estos personajes comenzaron a jugar en los Andes el papel que habían desempeñado en el mundo antiguo. Los indígenas, sus rituales, el lugar, todo forma parte de un simbolismo extraordinario. Yo no soy especialista en la obra de Mario Vargas Llosa, pero me parece que esta es una de las novelas más sorprendentes y de repente menos comprendidas por muchos críticos.

El escenario social que se describe en *Lituma en los Andes* es bastante más complejo que el escenario social que se describe en *Conversación en La Catedral*, y eso es lo que a mí me ha interesado. El personaje de Lituma, López de Sicuani, Mercedes de Piura, los personajes oscuros como Adriana y Dionisio y los indígenas que hacen sus rituales escondidos detrás de los cerros conforman ese esfuerzo del Perú de sentirse una nación con enormes incomunicaciones. En este punto, creo que la novela *Lituma en los Andes* aparece como un texto intelectual que retrata una época que probablemente va más allá de la conciencia del autor. En esto residió mi interés, en ver toda su complejidad y cómo en esa complejidad podemos percibir una simultaneidad de tiempo, porque todos los personajes se mueven en diferentes contextos, en diferentes regiones, formando parte de una sola trama, de un solo país. Mientras que en el bar de *Conversación en La Catedral* el diálogo es más un circuito cerrado, en el caso de *Lituma en los*

Andes es una construcción donde interviene toda la complejidad del mundo peruano, en donde algunos todavía se niegan a intervenir pero aparecen en el trasfondo de la narrativa.

Esto es lo que yo quería explicar: por qué *Conversación en La Catedral* aparece tal como fue construida y por qué *Lituma en los Andes* aparece como el esfuerzo de mostrar una comunidad imaginaria nacional, donde —leyendo en los términos de Benjamin y Anderson— todos los personajes están dentro de un mismo tiempo transversal actuando simultáneamente. Entonces, cuando mencioné al comienzo que si bien estas décadas transcurridas son décadas de crisis, de dificultades, de descomposición de la élite, de pesimismo, de pobreza, yo diría que detrás de todo, como nación y como construcción imaginaria, el Perú comienza a tener una presencia mucho más real y más importante. Y la novelística de nuestro gran escritor Mario Vargas Llosa lo representa magistralmente.

* * *

Manuel Burga (Chepén, La Libertad, 1942) es historiador y profesor de la Universidad Nacional Mayor de San Marcos. Ha publicado varios libros y numerosos artículos sobre temas de historia económica, política y social, para finalmente incursionar en el polémico territorio de la historia de las mentalidades. Es autor de *Nacimiento de una utopía: Muerte y resurrección de los incas* (1988), que le valió el Premio Jorge Basadre otorgado por el Concytec.

MARIO VARGAS LLOSA
EN EL TEATRO Y EL CINE

LITERATURA Y TEATRO EN VARGAS LLOSA

Luis Peirano

Voy a empezar con algo que tal vez sea una perogrullada de esas que solemos decir los hombres de teatro, y es que ser escritor no es garantía alguna de ser dramaturgo y menos de ser un hombre de teatro. De hecho, la relación entre los hombres y mujeres de teatro con los de la literatura ha sido en muchas ocasiones sumamente productiva, pero, en bastantes casos, distante y en otros momentos abiertamente polémica. Algunos grandes escritores no llegan nunca a ser hombres de teatro, aunque lo pretendan, y, por supuesto, es tanto o más claro al revés: la gran mayoría de las personas de teatro no son para nada escritores y muy pocos lo pretenden. La diferencia entre teatro y literatura ha tenido periodos de mayor claridad, pero ha existido siempre. Por eso hablar de la dramaturgia de un gran escritor suele ser tan atractivo como polémico, y de ahí que quiera referirme a cómo el escritor Mario Vargas Llosa se ha ganado desde hace tiempo, a punta de interés, amor y trabajo, un lugar en el teatro. En primer lugar como espectador, porque aunque parezca perogrullada, ya lo dije, no hay quien pueda pretender realmente un lugar en el teatro, como dramaturgo, actor, director o cualquiera de sus múltiples funciones, si no ha sido primero un buen espectador. Es como ser lector antes que escritor. Mario Vargas Llosa, que sabe muy bien esto último, y que probablemente en sus años de juventud tuvo más libros que espectáculos a su disposición, desarrolló más abiertamente su talento de escritor que el de hombre de teatro. Pero hace poco, y reiteradamente, ha confesado que el teatro fue su primer amor. Y al hacerlo ha recordado a Sebastián Salazar Bondy, que decía que su verdadera vocación era la de actor, que vivía enamorado del teatro, a tal punto que un día se embarcó con la compañía de Pedro López Lagar, luego de una temporada en Lima, y se casó con la actriz Inda Ledesma. Entonces pudo escribir varias obras de teatro, en su mayoría estrenadas de inmediato por el grupo Histrión, Teatro de Arte. Salazar Bondy se convirtió así en uno de los más importante dramaturgos y promotores del teatro peruano. De más está decir que hay escritores que son muy cercanos al teatro, como Carlos Fuentes, de quien me decía hace poco el propio Vargas Llosa que también quiso ser actor, nada menos. Pero este asunto vocacional por el teatro viene a cuento porque es sabido que el primer impulso creativo como escritor de historias que tuvo Mario Vargas Llosa fue precisamente en el teatro. Este dato, que hasta hace poco no nos indicaba mayor cosa, ahora aparece ratificado con la confirmación de la existencia del texto de una primera obra guardada celosamente por su madre (¡quien más!) y que él conserva, aunque confiesa que no se ha atrevido a releer.

La huida del inca, que así se llama el drama, empieza en la época actual, cuando un joven escritor dialoga con un viejo indígena que cuenta la leyenda a la que alude el título. Mario Vargas Llosa cuenta con entusiasmo que él mismo dirigió esta obra en el colegio San Miguel de Piura, luego de la debida autorización del profesor de literatura, «el Ciego» Robles, y la estrenó en el Teatro Variedades. Nos encontramos en 1952, el autor tenía dieciséis años, y hubo varios testigos, uno de especial entusiasmo, Javier Silva Ruete, quien fue el encargado de publicitar con altoparlantes el espectáculo por las calles de Piura.

Siempre tuve una buena impresión de Mario Vargas Llosa como espectador y me imaginé qué tipo de espectáculos le gustaban. Hace poco, al empezar una larga entrevista para *Memoria del teatro*, el programa de televisión que tengo a mi cargo en el canal del Estado, me contó que uno de los espectáculos que había marcado su relación con el teatro fue el que vio en el Teatro Segura de Lima hecho por una compañía argentina, la de Francisco Petrone, de *La muerte de un viajante* de Arthur Miller. Encandilamiento es la palabra que Vargas Llosa usa para describir la impresión que le causó este montaje. No fue el único impresionado por el peso de la obra y el talento de Petrone y su compañía. El gran actor Luis Álvarez, que se nos fue hace poco, me contó varias veces el efecto positivo que le produjo la versión de Petrone en términos muy similares a los de Vargas Llosa; como también le sucedió a Fernando Samillán, hombre de teatro e ingeniero que sigue activo y memorioso. Samillán me contó hace poco que Petrone había llegado a Lima con su compañía a presentar la obra *Todo un hombre*, de Miguel de Unamuno. Pero la película —el cine ya hacía sus estragos— protagonizada por Amelia Bence, que había sido exhibida en Lima poco antes, hizo que muy poca gente fuese al teatro a verla. Tuvo entonces que presentar una comedia que, según cuenta Samillán, tampoco tuvo éxito. A punto de volverse Petrone a Buenos Aires, molesto y decepcionado por la falta de éxito, Luis Álvarez le señaló que había leído que ya anunciaba en su programa para la próxima temporada *La muerte de un viajante*, que todavía no había terminado de montar, y la gran expectativa que muchos como él tenían por la obra de Miller. Petrone decide entonces terminar el montaje en Lima y estrenarla en el Teatro Segura, que había reservado para una temporada. Este montaje rápido, inmediato, pero profesional como dicen algunos, tuvo un éxito enorme y fue el que vio Mario Vargas Llosa y marcó su relación con el teatro contemporáneo. Vargas Llosa se entusiasma cuando se refiere a esta obra que desde entonces ha visto en diversos montajes.

La obra de Miller le confirma el poder del teatro para convocar de manera directa, sin mediaciones, la adhesión de los espectadores. La posibilidad de romper las barreras del tiempo y el espacio de manera viva le causa fascinación, y también la experiencia única de asistir como testigo a una historia revivida en cada oportunidad para todos aquellos que quieran comprometerse con las ganas de hacer la vida más entretenida, además de diferente. En realidad, esta idea del manejo del tiempo al contar una historia articula su obra creativa, pero la atracción de tenerlo delante en fuego vivo le parece irresistible y magnética para una audiencia colectiva. El teatro es el género que más rápidamente puede conectarse con el alma humana. Requiere de una técnica rigurosa, pero es más estimulante, más directa en su intensidad, en su poder para impregnar la memoria y el corazón de los hombres, tal como me dijo hace poco para explicar por qué le gusta tanto ir al teatro.

Mi descubrimiento del teatro que podía no solo ver sino escribir Vargas Llosa fue a principios de los años setenta con Alonso Alegría, que había vuelto a Lima y con quien discutíamos qué hacer con los alumnos del Teatro de la Universidad Católica, con los que yo había terminado *Peligro a cincuenta metros* de José Pineda y Alejandro Sieveking. Buscábamos una obra que nos permitiera seguir trabajando con los mismos jóvenes actores, añadiendo los de la siguiente promoción de la escuela y Alonso me propuso hacer *Los cachorros*. Yo conocía bien este texto que me había impactado y había leído muchas veces y en voz alta en algún lugar de Barranco con mi amigo Manolo Echegaray, en la bonita edición de Lumen con prólogo de Carlos Barral y fotos de Xavier Miserach. Entonces el texto volvió a la memoria: «Todavía llevaban pantalón corto ese año, aún no fumábamos, entre todos los deportes preferían el fútbol y estábamos aprendiendo a correr olas, a zambullirnos desde el segundo trampolín del Terrazas, y eran traviesos, lampiños, curiosos, muy ágiles, voraces. Ese año, cuando Cuéllar entró al Colegio Champagnat. Hermano Leoncio, ¿cierto que viene uno nuevo? ¿Para el tercero A, hermano? Sí, el hermano Leoncio apartaba de un manotón el moño que le cubría la cara, ahora a callar».

Recuerdo como si fuera ayer la primera carta, que pedía la autorización del caso, y la sonrisa de Alonso mientras escribía: «Usted escribe muy buen teatro, señor Vargas Llosa». Alonso nos convenció rápidamente del proyecto, por la teatralidad de las situaciones, por su conflicto, por la manera de contar, por sus estupendos y muy ágiles diálogos. El resto lo haría él mismo, con una adaptación en los mismos días en que estaba naciendo su segundo hijo. Yo sería el director asistente y me encargaría de cuidar lo que tuviese que ver con haber estudiado en un colegio de curas, porque Alonso era del Markham y de formación más sajona. Fue un estupendo trabajo del que no les cuento más, pero sí puedo recordar que tuvo mucho éxito y fue tan celebrado que, años más tarde, fue repetido en otra versión del mismo Alonso con el Teatro Nacional Popular. Al poco tiempo, tuvo un nuevo montaje a cargo de Pipo Ormeño y Beto Montalva, del Teatro del Sol.

Mi primer encuentro personal con Vargas Llosa fue algunos meses después de la presentación de *Los cachorros*, cuando ya estábamos fundando con Alonso el Teatro Nacional Popular y, coincidentemente, montábamos la primera versión peruana de *La muerte de un viajante* de Miller. Me impresionó entonces su sencillez, su interés por el teatro. Son casi diez años los que median entre este encuentro y su primera obra escrita *ex profeso* para el teatro. En ese gran intermedio lo encontré lamentablemente muy pocas veces, pero estuvo siempre en las obras de teatro que yo dirigí. Recuerdo y aquí agradezco uno de los mejores elogios que yo haya recibido en un artículo publicado en varios países, que escribió sobre el sentido del arte pobre a propósito del montaje de *Ubú presidente*, una versión del *Ubú* de Alfred Jarry que escribió Juan Larco y que yo menciono aquí solamente para decirle que me conmovió, al punto de no haber sido capaz de llamarlo para agradecerle. Me corrijo hoy día: gracias de todo corazón.

Cuando Mario Vargas Llosa se decidió a escribir teatro abiertamente, lo hizo planteando retos difíciles para la puesta en escena. Recuerdo las lecturas que nos hizo, a principios de los ochenta, de *La señorita de Tacna* y, entre otros, los retos de actuación que planteaba el papel protagónico: la Mamaé. Era una obra difícil, compleja, distinta en varios aspectos de los requerimientos de la escena, y no nos atrevimos a proponerle un montaje. No contábamos con una actriz así en nuestro grupo, y en ese entonces teníamos muchas limitaciones para un proyecto de este tipo. Fue así como Miguel Alfaro en la dirección y Norma Aleandro en el papel protagónico tuvieron el honor de estrenar la primera obra formal de Mario Vargas Llosa en Buenos Aires. El éxito de la obra fue tal que el montaje pasó por muchos escenarios. Su siguiente obra, que fue *Kathie y el hipopótamo*, me gustó aún más. Me habría encantado hacerla y he coincidido con algunos directores en que se trata de una de sus mejores obras de teatro. Pero luego del éxito de *La señorita de Tacna*, la dupla de Norma Aleandro y Miguel Alfaro se merecía el derecho de hacerla. Lamentablemente no tuvo la misma suerte con el público que la primera, y yo debía esperar una opción posterior.

La hora llegó con *La Chunga*, en 1986. Hicimos el estreno mundial, porque se estrenaba a los pocos días en Nueva York, y estábamos entusiasmados como niños por ser los primeros en hacerlo. La hizo el grupo Ensayo, en coproducción con el Teatro Canout de Lima que tenían entonces Gloria y Piero Solari. Fue el montaje más profesional que yo he hecho en mi vida. En ese año hice tres, con gran desenfado y a la vez con cariño, pero ese fue sin duda el más polémico y de mayores consecuencias. El trabajo de investigación nos llevó a la Mangachería y la Gallinacera, en Piura, durante los días posteriores a la Navidad de 1985, que se extendieron hasta bien avanzado el nuevo año. Recogimos mucha documentación y entrevistamos a mucha gente del lugar para hacer que fuera lo más local posible, convencidos de que, de esa manera, la anécdota tendría más fuerza. Nuestro trabajo de campo nos permitió comprobar lo bien y lo mucho que estaba impregnada su obra del ambiente humano y material del medio piurano. Estrenamos el 30 de enero, pocos días antes que la versión neoyorkina, y tuvimos una temporada impresionante, con críticas de toda clase, como es obvio, porque el autor era ya un referente tan importante que se llevaba buena parte de las mismas. Tuvimos éxito de público y consecuentemente de taquilla, pero sobre todo estuvimos muy satisfechos y contentos por presentar a Vargas Llosa como un escritor realmente interesado y comprometido con el teatro.

Los directores tenemos cierto reparo con algunos dramaturgos que quieren hacerse sentir en el momento del montaje, siendo el momento de la dramaturgia inicial y del montaje dos momentos tan distintos, aunque sería ideal que fueran complementarios. Vargas Llosa fue el más colaborador, discreto, sencillo y generoso dramaturgo que yo haya conocido. Asistió a los ensayos y en ocasiones hizo el calentamiento con los actores antes de empezar, dejando para mucho más tarde del ensayo sus comentarios para el director, que los tuvo por cierto pero que fueron hechos siempre con precisión, tino y una discreción admirables. Le agradecí tanto su experiencia que quedé comprometido en interesarme siempre en su teatro. Vargas Llosa se sorprende al reconocer que *La Chunga* —que es su obra más local porque sucede en una cantina de un barrio de Piura, cosa que nosotros enfatizamos al punto de que los personajes hablaran como piuranos, y eso nos gustó a algunos críticos— es su obra más pedida, más representada, con más acogida. Él dice que nunca sabrá por qué, pero acaso valdría la pena una explicación que tendría justamente fundamento en que su sustento dramático atrae a directores y actores porque les permite recrear el conflicto al que se refiere *La Chunga* en su propia comunidad. Hace poco me contaba que se montó en Irlanda y provocó la reacción contraria de un pastor protestante, especialmente conservador. Sabe Dios qué habrá removido el alma del pastor para haber promovido una protesta pública y una especie de boicot frente al teatro. Tampoco lo sé, pero quiero contarles algo que de pronto explica el poder de la acción teatral que propuso Vargas Llosa en esta obra. Durante las funciones en Lima en el Teatro Canout, yo solía sentarme detrás de alguna estera que tenía la escenografía de Javier Sota y ver la función desde allí, aunque en realidad quería ver al público. Uno aprende mucho así, aprende de teatro, pero tal vez más de esa psicología específica que involucra el acto teatral, al ver al público y a los actores al mismo tiempo. No me refiero a cuando es la primera función a la que uno asiste, como es obvio, porque eso sería una aberración, pero sí a las muchas que uno como director tiene que ver. Créanme que es un ejercicio extraordinario para el conocimiento del alma humana. Pues yo recuerdo la reacción de mucha gente viendo *La Chunga* y les juro que es algo tan conmovedor que no lo podré olvidar. Yo he visto muchas obras así, empezando por *El servidor de dos amos* de Carlo Goldoni, por ejemplo. Y no tiene nada que ver asistir como testigo de versiones diferentes y complejas de un supuesto hecho que no conocemos con ver aquel que traduce el interior más profundo de estos personajes llamados «Los inconquistables» y el de la propia Chunga. El objeto de deseo, que es Mechita, produjo reacciones espontáneas en el rostro y el movimiento de los espectadores, que estoy seguro de que provienen del alma de cada uno. Tal vez esto es lo que la hace tan atractiva y de ahí que la Chunga y «Los inconquistables», como el propio Lituma, sean tan reconocidos como personajes teatrales.

Pero es con *Ojos bonitos, cuadros feos* cuando hice lo que yo quería hacer con el teatro de Mario Vargas Llosa, sin traicionar tampoco por ello al autor. *Ojos bonitos, cuadros feos* es una obra escrita para la radio en la mejor tradición de los dramaturgos británicos, para quienes, me cuentan amigos cercanos, es un placer e incluso un honor, no siempre bien remunerado, trabajar para la BBC. Esta obra fue producida también por Radio Exterior de España. Me encontraba ocasionalmente colaborando con la BBC en Londres y Vargas Llosa me avisó de la existencia de este programa. Cuando escuché la primera versión radial, no dudé en proponerle un montaje. *Ojos bonitos, cuadros feos* es una obra corta, un solo golpe de pasión en el que se encuentran fuerzas distintas alrededor del gran tema de la creación artística y de la creatividad. Debo decir que la experiencia del montaje y de las funciones fue notable, por la confrontación en vivo del destino de quien quiere hacer en el arte algo que vaya más allá de la realidad que nos rodea. A este respecto, Vargas Llosa ha escrito en una carta, reproducida en el programa del estreno, que probablemente el sentido de la obra de Mahler y la de Mondrian son más importantes como detonadores de su obra que los personajes que vemos en escena, que son, sin embargo, la materia viva que nos permite lo primero. Pocas cosas son más atractivas para quien está inmerso en un proceso creativo que intentar explicarse el porqué de cada vivencia y el sustento de cada afirmación. Usualmente, esta reflexión no puede tomarse mucho espacio en el proceso mismo, bajo pena de anquilosarlo, incluso de entorpecerlo, desviarlo y, a veces, hasta detenerlo. Pero uno siempre va a volver a preguntarse en qué consiste el talento, cómo se descubre, qué papel juega la técnica con relación al mismo, cuáles son los referentes para explicarlos, qué es conveniente al esfuerzo creativo y qué no lo es. Para pensar todo esto, nada mejor que atestiguar, gracias a la maravilla del teatro, una situación en la que una joven llega al arte y no encuentra la acogida necesaria para desarrollarlo, especialmente por parte de quien habiendo tenido esa oportunidad no pudo resolver su vocación por falta de talento. Estupenda propuesta teatral para confirmar que esta ansiedad nos acompaña a todos a lo largo de nuestra vida, en este eterno proceso para acercarnos a la verdad y a la belleza.

Ahora estamos esperando la próxima obra de teatro de Mario Vargas Llosa. Hace algunos años nos ilusionamos con la idea de tener una versión de Flora Tristán, pero sabemos que este proyecto se ha convertido en una novela. Mario Vargas Llosa no sabe de qué manera se le presenta una idea como algo que debe escribir para el teatro, y esta incógnita forma parte de su permanente sorpresa frente al acto creativo. De todos modos, nos ha asegurado que tiene otra obra de teatro en preparación, y la estamos esperando no solamente por su condición de buen creador y de ciudadano comprometido, sino porque lleva dentro el fuego del teatro, que él sabe muy bien que hay que avivar cada vez que sea posible. Y por eso, a pesar de que el teatro no es literatura y que el tránsito de una cosa a la otra no es fácil, Vargas Llosa se ha ganado un lugar en el teatro. Y su amor al teatro, expresado en su vínculo con la gente que lo hace de manera permanente, hace que estemos aquí para homenajearlo como se merece.

* * *

Luis Peirano (Palpa, Ica, 1946) es sociólogo y ha publicado diversos trabajos sobre reforma de medios, cultura y los problemas de la educación. En la Pontificia Universidad Católica del Perú y en la escuela de teatro (TUC), de la cual luego fue profesor y director, ha participado en diversos montajes teatrales y proyectos de comunicación audiovisual. Es fundador de la primera Facultad de Ciencias y Artes de la Comunicación en la Pontificia Universidad Católica del Perú.

VARGAS LLOSA CAMBIA DE GÉNERO

Alonso Alegría

Transformar una obra narrativa —un cuento o una novela— en una obra dramática —ya sea de teatro o de cine— no es algo fácil ni mucho menos automático. Para que una obra narrativa pueda ser exitosamente convertida en dramática, hace falta encontrar o inventar un germen dramático dentro de la obra narrativa. De otra forma, la obra dramática adolecerá del peor defecto posible: será episódica. No todas las obras narrativas tienen consigo este germen, y sobra decir que para ser excelentes obras narrativas no tienen por qué ser potenciales obras dramáticas. Esta potencialidad es una característica adicional de algunas obras narrativas, que ni les quita ni les pone como tales, pero que resulta indispensable para su exitosa transformación en drama. El ejercicio del que me voy a ocupar será el de analizar cuán adaptables al género dramático son algunas de las obras narrativas de Mario Vargas Llosa, y también cuán dramáticas son sus obras escritas para el teatro.

Para comenzar, resulta necesario preguntarse y responder qué es aquel germen que le hace falta a la narrativa para ser potencialmente una buena obra dramática. Aristóteles, en su definición de la tragedia, que para todos los efectos prácticos modernos es también una definición de la obra dramática, enseña que la tragedia es una «imitación de una acción representada y no narrada». Vale decir que es una acción —un devenir de personajes— representada en vivo sobre un escenario —o, para tal caso, presentada en imágenes sobre un *écran*— y no narrada con palabras sobre un papel. Si se toma en cuenta solamente esta condición, que el texto pase a vivir sobre un escenario, parece sencilla la tarea de transformar el devenir de una narrativa en un devenir sobre el escenario. Bastaría con convertir en realidad visible y audible aquello que imaginamos al leer una narración. ¿Que el narrador describe un ambiente en su novela? Pues ponemos ese ambiente sobre el escenario, o lo filmamos tal cual. ¿Que el narrador hace hablar a sus personajes? Pues conseguimos actores que memoricen ese diálogo y lo actúen. ¿Que la novela es demasiado larga si la representamos toda? Pues cortamos lo que haga falta hasta lograr que dure dos horas y media. Y se acabó. Con hacer esto ya tendríamos la novela o el cuento sin mayor esfuerzo convertido en teatro o en cine. Pero esa, claro, no es la cosa.

Mucho del drama adaptado a partir de la narrativa no pasa de ser narración ilustrada que como drama fracasa soberanamente. Entonces surge la angustiada pregunta del lego inocente: si la novela es tan buena, ¿por qué es tan aburrida la película? Pues porque no basta con solamente representar, ilustrar, lo narrado. Para que la narración tenga sustento y sentido cuando se la convierte en drama, debe cumplir con el indispensable requisito que más arriba señalábamos. Debe contener una acción susceptible de ser dramatizada y no solamente diálogo para ser dicho e imágenes para ser visualizadas.

Pero ¿acaso la novela o el cuento no tienen siempre no solo una sino muchas acciones? ¿No sufren sus personajes una infinidad de peripecias que bien podría servir? Por supuesto que sí, pero a veces lo que abunda sí daña. Aristóteles no habla de muchas y diversas acciones, sino de una acción, una sola en singular, que unifica, ordena y le da su peculiar forma e interés a toda la obra dramática. Esta acción no es sencillamente un hecho que sucede, como el colapso de un helicóptero o matrimonio. En el sentido aristotélico y dramático, una acción no es algo que sucede, sino (he aquí el secreto) la *voluntad* de lograr algo. He aquí la clave para entender el drama y para analizar la potencialidad dramática de cualquier narración.

Esta voluntad la ejercen uno o más personajes. Esta voluntad persigue algo que acabará siendo un hecho concreto. Edipo quiere encontrar al asesino del rey Layo. Hamlet quiere matar al rey

Claudio. Fuenteovejuna quiere librarse del Comendador. Nora quiere convertirse en una persona adulta y cabal. Estas acciones nos enganchan y obligan a prestar atención para ver si, al final, estas voluntades lograrán, o no, sus fines.

Y es así que resulta siendo cierto que todo material dramático que logra captar y mantener nuestra atención contiene una voluntad que la recorre de comienzo a fin. Esa voluntad es el germen que mencioné al inicio, es aquello que ciertos cuentos y novelas contienen y que los hace susceptibles de ser adaptados exitosamente al género dramático. Y también, por cierto, aquello cuya presencia o ausencia hace o deshace una obra de teatro o una película porque hay, cómo no, muchos dramas y filmes fallidos debido a la falta de esta voluntad rectora, también conocida como acción dramática.

Un ejemplo de falta de acción dramática es, por supuesto, *Diatriba de amor contra un hombre sentado*. Esta fallida pieza de Gabriel García Márquez derrocha teatralidad —no hay recurso escénico del que su autor no eche mano—, pero no contiene ni asomo de acción dramática. La esposa, el único personaje que habla, no ejerce más voluntad que la de hablarle a su marido, y esta voluntad no mantiene nuestro interés porque no tiene futuro: la señora ya está hablando. Si su voluntad fuera separarse de su marido podría captar nuestro interés, porque estaríamos a la expectativa de si se separa o no. Pero ella ha decidido separase antes de entrar a escena, ha venido a explicarle por qué se separa, y en juego ahora ya no hay nada. Esta falla fatal convierte a la obra en una narrativa escenificada que fracasa estrepitosamente como drama.

Si miramos bajo esta luz aquellas obras narrativas de Vargas Llosa que ya han sido transformadas al cine o al teatro, vemos que todas ellas contienen acción dramática. Está presente en *La ciudad y los perros* y la acción es «descubrir al asesino del Esclavo». Esta acción va hilvanando y organizando un cúmulo de acciones secundarias que Lombardi hizo bien en desatender, concentrando su atención en la acción principal, que en la novela comienza a operar casi a la mitad. La acción dramática de

Pantaleón y las visitadoras está clarísima desde el principio, y es «satisfacer las necesidades sexuales de todo ejército peruano acantonado en la selva». En *Los cachorros* —adaptación teatral que yo escribí en 1970—, también la acción está muy clara desde el inicio, y es «convertirse en un hombre sexualmente normal». La adaptación al cine de *La tía julia y el escribidor* tiene, como novela, dos posibles acciones, correspondientes a cada uno de sus dos carriles narrativos. Una acción es «casarse con la tía Julia» y la otra es «escribir la mejor radionovela del mundo». Como una obra dramática no puede tener más de una acción, los realizadores optaron por «casarse con la tía Julia».

Quizás a estas alturas ya está comenzando a aparecer el criterio que hacer falta usar para definir qué narración es adaptable al género dramático y cuál no. Es adaptable solo aquella que en sus páginas contiene acción dramática, o acaso aquella narrativa a la que, forzando un poco las cosas, se le puede insertar una acción dramática. Falta convertir al cine *La guerra del fin del mundo* (cuya acción dramática es «liberar a los oprimidos») y *La Fiesta del Chivo*, cuya acción dramática no puede estar más clara ni ser más apremiante: «acabar con el tirano».

¿Cuáles obras narrativas de Vargas Llosa no tienen posibilidades de adaptación? Pues a primera vista yo diría que *Conversación en La Catedral*, no porque no sea «dramática», no porque no tenga momentos muy «dramáticos», sino porque parece no contener acción dramática. Con este ejemplo queda claro, por supuesto, que una novela no necesita tener acción dramática para ser una novela magistral. Como novela, no matriz para parir un drama.

Pero yo soy un hombre de teatro y aquí me compete analizar no solamente la potencialidad dramática de la narrativa de Vargas Llosa, sino la de sus mismísimas obras de teatro. Miradas bajo la aristotélica luz de la acción dramática, vemos que sus obras van siendo más de cal y menos de arena a medida que el autor va ejercitándose en el difícil arte de la narración dramática, tan sustancialmente distinto al de la narrativa.

Sus primeras obras —*La señorita de Tacna* y *Kathie y el hipopótamo*— son ostensiblemente más teatro que drama, más narrativa ilustrada escénicamente que «acción representada y no narrada». Lo mismo debo decir de *La Chunga*, cuya acción parecería ser «saber qué pasó con la chica desaparecida». La pesquisa que se emprende en escena para saber qué pasó con la chica tiene como propósito solamente satisfacer la curiosidad de «los inconquistables»: la chica hace ya tiempo que está desaparecida y la pesquisa nunca parece estar llevando a ningún evento que pueda importarnos. Evento contundente es, por ejemplo, «lograr la salvación de los balcones de Lima». Esta acción —esta voluntad— es el motor de *El loco de los balcones*, única obra de Vargas Llosa que, pese a haber sido publicada en 1993 y a ser más teatral y sobre todo más dramática que todas las anteriores, permanece sin representar en idioma castellano, quizás porque sus exigencias de montaje son bastante complejas[1].

Luego viene, por cierto, en el tiempo, la más reciente pieza de nuestro autor: *Ojos bonitos, cuadros feos*. Aquí los elementos teatrales se han reducido al mínimo mientras que los dramáticos se multiplican y crecen. Estamos en un interior y el autor se concentra totalmente en la acción (dramática, se entiende). Es una acción clara y contundente que nos mantiene interesados en un desenlace concreto potenciado desde casi el inicio. La acción es, por supuesto, «matar al asesino de la novia». Y de la resolución de esa acción —de su éxito o de su fracaso— estaremos pendientes desde el principio hasta el fin de la pieza porque, si triunfa, habrá un hecho de sangre y un muerto en escena. De estas inminencias a largo plazo está hecha la acción dramática y también, por cierto, el interés que una obra pueda concitar. Y esto viene sucediendo desde que Edipo le preguntó a su desesperado pueblo si alguien sabía algo acerca del asesino de Layo.

Es porque tienen una acción dramática muy clara y concreta que me atrevo a decir (apoyándome como puedo en Aristóteles) que *El loco de los balcones* y *Ojos bonitos, cuadros feos* son las obras que transforman definitivamente al eximio narrador —ese que alguna vez ilustró con efectos escénicos sus narraciones— en un dramaturgo propiamente dicho, uno que piensa en términos de una acción representada y no narrada, y que no necesita recursos teatrales para lograr que la vida salte de la página para ser presenciada sobre el escenario en su forma más álgida: como un personaje tratando de lograr algo y nosotros comprometiéndonos con ese personaje y esperando, con el personaje y de preferencia con el alma en un hilo, que su voluntad triunfe o fracase al final de la obra.

(1) La obra se presentó en el año 2003 y fue dirigida por el propio Alonso Alegría. *(Nota del editor).*

* * *

Alonso Alegría (Santiago de Chile, 1940) es un dramaturgo y director teatral peruano de amplia trayectoria y prestigio. Su obra *El cruce sobre el Niágara* ganó el Premio Casa de las Américas en 1969 y fue representada en más de cincuenta países. En julio de 2007 estrenó la serie radiofónica *Mi novela favorita*, que versiona clásicos de la literatura universal presentados por Mario Vargas Llosa.

ACCIÓN Y SECUENCIALIDAD
EN LA OBRA DE VARGAS LLOSA

Edgar Saba

Cuando era joven, muy joven hace muy pocos años, tuve la oportunidad de actuar e interpretar el personaje de Pichulita Cuéllar en una primera versión teatral que Alonso Alegría hacía de su obra. Era el año 69 ó 70 y, si no recuerdo mal, era una de las primeras adaptaciones que se hacían de la obra de Mario Vargas Llosa.

El trabajo en *Los cachorros* me llevó a estudiar, para conocer un poco más al autor sobre el que estábamos trabajando, *La ciudad y los perros*. Fue allí cuando conocí al personaje del Poeta, Alberto, que como actor joven y egocéntrico me llevó a escribir un monólogo basado en sus diferentes intervenciones. Monólogo que afortunadamente no llegué a teatralizar, pero que más tarde se convertiría en una adaptación total y teatral de *La ciudad y los perros*.

Con esto, lo que quiero decir es que mi primer contacto con la obra de Mario Vargas Llosa no fue el contacto con un novelista, sino con un hombre de teatro que escribía novelas. Por tanto, yo me iba inmiscuyendo en las novelas por una intrínseca capacidad dramática y desde un punto de vista actoral, por los extraordinarios y complejos personajes que sus obras describían.

Así fue el caso de Zavala, Zavalita, en *Conversación en La Catedral*. Para mí esta novela no era solo la historia privada de una nación, sino que el dramaturgo Vargas Llosa había descifrado en Santiago Zavala a un Hamlet peruano y latinoamericano. Qué actor no querría hacer personajes como Alberto Fernández, el Poeta; el Jaguar; el Esclavo; Pichula Cuéllar; Santiago Zavala, o Panta, Pantita, en *Pantaleón y las Visitadoras*. Por tanto, cogí el vicio de leer las obras de Mario con la ilusión de algún día poder representar esos personajes. Leía estas obras no como si se trataran de novelas, sino como si fueran obras de teatro.

Aunque el resto de la gente les llamaba novelas, yo necesitaba creer que un hombre del prestigio de Mario Vargas Llosa escribía teatro, porque esto me ayudaba a convencerme a mí mismo de que la profesión teatral y mi vocación no eran algo socialmente tan desprestigiado como lo era en ese entonces y probablemente hasta ahora.

Varios años después, cuando vivía y estudiaba en Londres, recibí la llamada de Mario pidiéndome que asistiera, en su casa en Cambridge, a una primera lectura privada de su obra de teatro *La señorita de Tacna*. Presentó *La señorita de Tacna* con toda la sencillez y humildad de un iniciado. Él mismo leyó la obra entre los presentes y, una vez que terminó, comenzaron las críticas y enhorabuenas.

Mario escuchaba, anotaba y aceptaba cuidadosamente las indicaciones que yo le brindaba sobre un primer borrador de una obra que él creyó conveniente seguir trabajando. Uno de los comentarios que surgían al respecto, y que surgirían después no solo en *La señorita de Tacna* sino en las obras teatrales posteriores que escribiría, era la falta de acción, término que mucha gente confunde y que no sabe en el fondo qué quiere decir. Se decía que era muy literaria, que le faltaba un poco de acción, como si se tratara de un cocido madrileño al que le falta un poco de sal.

Sin embargo, yo pensaba que estábamos hablando con el «rey de la acción». Acción que ha llevado y sigue llevando a sus novelas, a versiones teatrales y guiones cinematográficos. La acción está presente en capítulos extraordinarios, como el que se puede encontrar en *La guerra del fin del mundo* con el intento de asesinato del bellísimo personaje del escocés.

Cuando en 1980 entré a trabajar como asistente de dirección en el Centro Dramático Nacional en Madrid, bajo las órdenes de José Luis Gómez y Nuria Espert, José Luis me encargó mi primer trabajo: estudiar a fondo una obra que Mario Vargas Llosa le había enviando, *La señorita de Tacna*. Y por un momento pensé en una especie de trágico sino que me perseguiría de por vida: leer y releer *La señorita de Tacna*. Sin embargo, la obligación del trabajo hizo que fuera descubriendo que *La señorita de Tacna* era un texto teatral al que no le faltaba una mal entendida acción. También que a qué actriz no le gustaría ser el personaje de la Mamaé, un personaje que requería una versatilidad emocional de grandes dimensiones. Un texto rodeado de fantasía y de fantasmas. Un texto activo y mágico. Me ayudó a descubrir que los prejuicios y la intolerancia pueden llegar a encasillar la ficción en claustrofóbicos géneros literarios. Porque en ese momento me encontraba ante la capacidad de un escritor que estaba inventando una realidad dramática y total. La *señorita de Tacna* era una obra de teatro y, aunque fuese la primera que él reconocía, al haber leído sus otras novelas, para mí era la cuarta o la quinta.

Lo que me interesa mencionar es que la capacidad dramática es una constante en toda la obra de Mario Vargas Llosa, y fundamentalmente en su narrativa. Cuando escribí la adaptación de *La ciudad y los perros*, que luego dirigiría en Madrid en el año 82, lo más atractivo y lo que más me interesaba era su estructura. Quería respetar, al máximo posible, la estructura planteada en la novela. Si la estructura, fundamentalmente el juego riguroso del tiempo y el espacio, era llevada al escenario, podía crear una dramaturgia contemporánea y, en el profundo sentido de la palabra, vanguardista.

La gran riqueza dramática de sus novelas radica no solo en los diálogos y en sus personajes, sino en el manejo del tiempo y del espacio. Un espacio que muchas veces se centra en la mente del personaje, como son los casos de los obsesivos monólogos de Alberto en *La ciudad y los perros* o las eternas especulaciones de Santiago Zavala, que lo llevan a la inacción. Un tiempo que se mueve hacia el pasado y hacia el futuro como en *Conversación en La Catedral*, que le permite ver al lector-espectador la totalidad de los actos de los personajes. Es decir, que mantener la estructura narrativa en las novelas en una adaptación nos puede llevar a la creación de un teatro único. Es, por tanto, que en su estructura radica la potencialidad teatral de las novelas de Mario Vargas Llosa.

Incluso en *Pantaleón y las visitadoras*, novela que ha sido llevada al cine y que tiene un formato epistolar, está revelando una secuencialidad a través de causa-efecto donde los personajes se mueven no solo por una motivación, sino hacia un objetivo claro y concreto. Estos objetivos permiten crear esta secuencialidad, que es la clave esencial de cualquier obra teatral. Sean fantasmas, monólogos obsesiones, asesinatos, sean *flashbacks* o acertijos sobre el futuro, las novelas mantienen una causalidad en las acciones de los personajes que hace posible seguirles desde el principio hasta el final. Y esto le permite a un director de escena o de cine convertir lo que es contar historias en un libro y poder hacerlo creíble a través de unos actores, ya sea en el escenario o en la pantalla. Cuando se vuelca al cine o al teatro, la literatura se contamina, porque es una literatura para ser representada, dicha, hablada, con un tiempo de duración determinado y donde el espectador no puede dar vuelta a la hoja si se perdió algo de la historia. La literatura se contamina porque el público habrá hecho concreto lo que imaginaba: caras precisas en los actores, espacios reales de las descripciones, porque lo que vemos en el escenario o en la pantalla será siempre la visión de un director.

Me parece importante subrayar que el juego del tiempo y el espacio crea algo que William Shakespeare desarrolló a la perfección, y me refiero al origen del *subplot* o segunda historia. Tal es el caso, por ejemplo, de *El rey Lear*, donde existe la historia de Lear y sus hijas y a la vez la historia de Gloucester y sus hijos y cómo a lo largo de la obra ambas historias se van integrando. Pasa lo mismo con *Hamlet*, *Macbeth* y *La tempestad*. Probablemente *Otelo* sea una excepción. Este trabajo de las historias paralelas, que Shakespeare manejaba de manera ejemplar, ha posibilitado el guión cinematográfico contemporáneo. Porque para poder contar la historia cinematográficamente es necesario saltar de una secuencia a otra, de un espacio a otro, de una historia a una segunda historia que luego se integrará.

Me pregunto si no es este el caso de muchas de las estructuras planteadas en las novelas de Mario Vargas Llosa: la presencia de diferentes historias contadas en diferentes espacios y en diferentes tiempos, pero todas unidas por una acción dramática fundamental que permitirá integrarlas y al mismo tiempo llegar hasta el final.

No he querido referirme aquí a las obras de teatro de Mario, ya que, en mi opinión, el teatro de Mario Vargas Llosa y la estructura cinematográfica se encuentran en gran parte de su narrativa. Y que hay un impulso interno en el texto que lleva al lector a visualizar detalladamente lo que lee.

Hay, pues, en la obra de Mario Vargas Llosa novela en su teatro, drama y cine en sus novelas, una narrativa exquisita en sus ensayos casi novelados. Es el impulso de un creador total que, atravesando prejuicios, integra en sus obras algo que va más allá de los formatos y los géneros. Y nos descubre a través de la verdad y la ficción la mentira de nuestras vidas.

* * *

Edgar Saba (Lima, 1952) se graduó en dirección de escena y dramaturgia en el Drama Centre London. Trabajó en España como ayudante de José Luis Gómez y, más tarde, como director y dramaturgo de obras de diversos autores nacionales y extranjeros. Actualmente dirige el Centro Cultural de la Pontificia Universidad Católica del Perú.

DE LA LITERATURA AL CINE

Francisco J. Lombardi

De las doce películas que he realizado, siete tienen como punto de partida una obra literaria. He adaptado con diferentes guionistas a autores de muy distintas características, desde Jaime Bayly hasta Fiódor Dostoievski, pasando por escritores tan diversos como Enrique Congrains, Alberto Fuguet y, claro, Mario Vargas Llosa. Más de la mitad de mis películas me enfrentaron con el desafío de transportar la naturaleza de una obra original para convertirla en una obra distinta, y cada una en su manera demandó un acercamiento diferente, planteó dificultades y problemas concretos y específicos, propios de su particular construcción. De manera que desde mi perspectiva no hay una fórmula determinada para adaptar obras literarias, sino un punto de vista que varía de adaptador a adaptador, que es lo que hará singular y por lo tanto válida la propuesta de adaptación.

El cine, en realidad, se ha acercado a la literatura desde sus inicios no solo buscando en sus argumentos y personajes motivos de inspiración. Los pioneros cinematográficos, como se ha dicho muchas veces, encontraron en la novela decimonónica los modelos y recursos narrativos que esta ofrecía. Griffith, el iniciador del lenguaje cinematográfico, encontró en las novelas de Dickens los recursos que le permitirían historias más extensas y complejas que las que hasta entonces habían sido filmadas. ¿Cuáles son las posibilidades con las que el cineasta cuenta para transponer un relato literario al cine? Son varias, y me extenderé sobre ellas luego de repasar algunos conceptos generales y de señalar algunos lugares comunes asumidos como verdaderos y que son por lo menos discutibles.

Se asume como verdad indiscutible que hay novelas inadaptables. Sin embargo, en mi opinión, el cineasta inventivo encontrará siempre alguna manera de acercarse a la naturaleza del relato literario para atrapar, si no su esencia, al menos parte de esta en la medida que sea capaz de incorporar su lectura subjetiva y personal. Esto permitirá generar una obra nueva, con las características propias del nuevo lenguaje determinadas, por una específica forma de aproximación, con mayor o menor éxito. Pienso que cualquier obra narrativa literaria puede encontrar un trasvase al cine. Sin embargo, es cierto que existen relatos literarios que se adaptan al cine con mayor facilidad que otros, y ello tiene que ver con ciertos rasgos o propiedades que confluyen, puntos de contacto en donde la naturaleza narrativa del relato literario pasa al cine de una manera tan natural que no se requiere de ningún forzamiento.

Voy a leer un breve párrafo narrativo: «A las seis de la tarde, Hermann estaba ya frente a la casa de la condesa. El tiempo era muy frío, ululaba el viento, la nieve caía en suaves copos, los faroles daban una luz sombría, las calles estaban desiertas. Hermann estaba ahí, llevando sólo su sobretodo y sin sentir el viento y la nieve. Por fin, hicieron avanzar el carruaje de la condesa. Hermann vio a los criados que conducían del brazo a la encorvada vieja...». Y así prosigue este relato narrado por Pushkin. Como se puede observar, todas las cosas narradas y descritas podrían ser las imágenes de una escena cinematográfica. Son en realidad cuadros estrictamente físicos que muestran una atmósfera perfectamente visible y visual, provista de personajes y objetos naturalmente cinematográficos.

Veamos este otro ejemplo bastantemente elemental, pero útil por su claridad: «Un amigo va a visitarla frecuentemente, pero ella siempre lo rechaza». Se trata de un enunciado narrativo, pero es evidente que es poco afín con la expresión cinematográfica. Si buscamos visualizar «frecuentemente», deberíamos acaso repetir cuatro o cinco visitas del amigo para lograr expresar lo que el lenguaje verbal consigue de una forma tan económica y rápida. ¿Cómo visualizar el «siempre» del rechazo, los adverbios, preposiciones, pronombres, los «entonces», el «aquí», el «ahora»? Son términos imprescindibles del lenguaje verbal que no encuentran una equivalencia razonable con los recursos propios del cine.

Recordemos las frases iniciales de *Cien años de soledad*: «Muchos años después, frente al pelotón de fusilamiento, el coronel Aureliano Buendía había de recordar aquella tarde remota en que su padre lo llevó a conocer el hielo». ¿Cómo podría el cine visualizar esta información? Podemos decir por ello que el cine es incapaz de expresar determinados contenidos. En mi opinión, ciertas formas de construcción literaria obligan al narrador cinematográfico a buscar equivalencias, a tomarse ciertas licencias o a buscar finalmente un forzamiento en la forma de expresión. Sin embargo, es obvio que siempre será preferible adoptar las construcciones narrativas que de manera natural encuentren una confluencia con la visibilidad del lenguaje cinematográfico.

Otra verdad que pasa por indiscutible es aquella que afirma que, a diferencia de la novela, es propio de la naturaleza del lenguaje cinematográfico efectuar saltos espaciales y temporales. Y cuando un escritor mezcla los tiempos verbales y salta de una escena a otra, se señala que es un escritor cinematográfico. Quienes sostienen tales afirmaciones no deben haber intentado aproximarse seriamente a novelas como *Conversación en La Catedral*, por ejemplo, una novela excepcional donde los tiempos verbales y los espacios narrativos se superponen, confunden y casi se fusionan de una manera en mi opinión inabordable para el cine.

Otro lugar común repetido hasta el cansancio cual verdad casi de perogrullo es aquella frase que afirma que el cine es imagen, la novela es palabra y de aquí se desprende que el verdadero cine o el más artístico es capaz de prescindir de la palabra. Dos de los autores más importantes de la historia del cine —o por lo menos dos de mis favoritos—, Eric Rohmer y Joseph Mankiewicz, por citar solo un par de ejemplos, han construido su universo cinematográfico a partir de personajes que dialogan interminablemente. En sus películas, la palabra se convierte en un eje fundamental de la naturaleza de su propuesta, y a partir de esa premisa los dos han hecho de su obra un aporte singular al cine de nuestra época.

Estos pocos e insuficientes ejemplos permiten ilustrar cómo muchos de los conceptos que normalmente se manejan sobre este tema son discutibles, cuando no totalmente falsos. Una película puede ser abrumadoramente verbal, transcurrir en el espacio de una habitación, contar con solo dos personajes y no por ello dejar de ser cine auténtico ni de renunciar a una búsqueda que lo lleve legítimamente hacia donde la imaginación de sus creadores deciden. Diría que lo único concreto es que existen obras literarias que parecen acomodarse al lenguaje cinematográfico con gran naturalidad y autores cinematográficos que consiguen a partir de intencionalidades y presupuestos muy distintos acercarse a determinadas novelas, sea para ilustrarlas creativamente, reinterpretarlas, usarlas como mero punto de partida o crear algo tan distinto que apenas se logre reconocer el material de origen.

¿Qué es lo que en realidad buscan los cineastas en un relato literario? En términos mayoritarios, trama y personajes. Ilustrar una novela de éxito es uno de los recursos más socorridos del cine industrial y una de las formas en que el cine asume un rol de subordinación más lamentable. La ilustración comedida, servil y carente de todo punto de vista es desgraciadamente una de las maneras de acercar el cine a la literatura. Y hay también la ilustración cuidadosa y artesanal que tiene como objetivo la divulgación de obras clásicas.

Pero al margen de estas normas convencionales de adaptación, la historia del cine da cuenta de aproximaciones creativas y redituables, cineastas que utilizan una historia apenas como un punto de partida, como un golpe de inspiración que termina conduciéndolos a nuevos desarrollos producto de su capacidad, invención y creatividad. Viendo los resultados en la pantalla, el espectador apenas consigue reconocer el original, las huellas del material que sirvió como punto de partida, pero es indiscutible que sin el relámpago inicial aportado por la lectura inspiradora de un cuento o una novela esa obra no se habría producido jamás.

De otro lado, está el caso de aquellos, y entre ellos me incluyo, que, seducidos por el personaje de una historia, la ajustan y acomodan para que funcione como un elemento casi accesorio en relación con el objeto de la fascinación: un personaje extraordinario capaz de representar una verdad profunda de la condición humana, propósito final de la obra artística. Como Hitchcock, que compraba los derechos de novelas que consideraba literariamente nulas para someterlas a su personal universo creativo y luego enviarlas al tacho de basura. Hitchcock recurría a novelas recreativas: «Yo leo una historia solo una vez. Cuando la idea de base me sirve, la adopto, olvido por completo el libro y fabrico cine», le dijo Hitchcock a Truffaut en una entrevista. Para él, una obra literaria consagrada no debía ser adaptada. En esa misma línea, Howard Hawks sostenía que, cuanto peor era la novela, mayor era la posibilidad que tenía para ser convertida en una gran película. Es famosa la anécdota referida por él mismo en la que le propone a Hemingway que le ceda los derechos de la que para él era su novela menos lograda, *Tener y no tener*. Más allá de la discutible valoración de Hawks, lo cierto es que convenció a Hemingway, y *Tener y no tener* es con los años una película muy valorada.

Cada época y cada cineasta tienen una manera especial de acercarse a la literatura. Para algunos es mejor apartarse de ella, resulta casi una enemiga. Otros se sirven de ella perezosa y cómodamente. Hay quienes la temen, la miran de lejos, les parece inalcanzable. Mientras preparaba estas notas, me preguntaba cómo ha sido y es mi relación con la literatura. Diré que Mario Vargas Llosa ha sido para mí no solo una fuente de inspiración permanente, sino una influencia inestimable que marcó mi acercamiento definitivo a la literatura. En *Tinta roja*, por ejemplo, hay un homenaje explícito que hace visible mi deuda permanente con su obra.

En 1965, yo era un lector intermitente y perezoso que, pese al generoso estímulo de mi padre, no conseguía establecer una relación estable con los libros como la que mantenía gozosamente con el cine. Estando a poco de terminar mi secundaria, cayó a mis manos una novela que, a diferencia de todas las ficciones que había leído anteriormente, me hablaba de adolescentes que sentía cercanos, de calles cuyos nombres y veredas yo conocía, de una ciudad, unos ambientes y un cielo que me eran absolutamente familiares. La novela era *La ciudad y los perros*. Después de leerla ansiosamente, con ese ánimo febril que nos permite adivinar una experiencia definitiva, tuve la certeza de que mi vida tendría que estar ligada de alguna manera a aquello, a participar en la invención de historias, a refugiarme como fuera en un mundo paralelo, distinto o alternativo al limitado horizonte que me ofrecía la realidad.

Veinte años después, Mario Vargas Llosa me permitió la posibilidad de hacer una adaptación al cine de aquella novela que tanta impresión me había causado. Con José Watanabe, el guionista, tomamos el atajo más directo al corazón del libro. Decidimos contar solo el tiempo presente, quedarnos con la historia central, seca y dura, la que documenta conductas, comportamientos, hechos físicos, y que de ellos surgiera el lirismo, la ambigüedad, finalmente la poesía escondida detrás de la aparente sequedad de ese tiempo presente. Mario nos pidió acceder al guión una vez que lo hubiéramos terminado, con el natural recelo del autor que presta una criatura preciada a unos cineastas incipientes y sin duda temerarios. Nosotros habíamos incluido un sueño en algún momento de la trama, y Mario, en la única sugerencia que nos hizo, nos descubrió que ese rapto lírico era una ruptura que contradecía el conjunto realista y macizo. Fue una intervención sabia. Por lo demás, nos dejo la más absoluta libertad y comprendió que la película, siendo tributaria de la novela, tenía que aspirar a convertirse en una entidad nueva.

Mirando hacia atrás, y dentro del contexto del tema que estamos tratando en esta mesa, yo diría que el éxito de aquella adaptación tiene que ver al menos con tres factores. De un lado, con la asunción de un punto de vista, con una opción que, respetando el espíritu del libro, aspiraba a una interpretación, a una visión arbitraria y respetuosa al mismo tiempo que se nutría del estigma de una lectura juvenil, que incorporaba mi memoria, sensaciones, personajes, experiencias comunes; en fin, mi propia frustración de estudiante en un país cuya marginación, intolerancia y violencia me resultaban ya cercanos. De otro lado, una opción visual. Se optó por fotografiar ese mundo en una gama excluyente de grises, que corroboraron el universo de encierros, de patios cerrados, de confinamiento y habitaciones claustrofóbicas en concordancia con el tratamiento realista de la propuesta general. Finalmente, el universo de personajes de la novela, como toda obra de ficción literaria, dejaba a la imaginación del lector la infinita gama de rostros posibles.

En la película, el actor Juan Manuel Ochoa era el Jaguar. Su rostro áspero y al mismo tiempo insondable hacía del él un personaje concreto, con una apariencia y una consistencia intransferibles. Esa capacidad de realismo, de verdad contundente, física, objetiva y concreta de la imagen cinematográfica, establece la diferencia mayor entre una forma de ficción, la literaria, abierta a tantos rostros imaginables como lectores haya, y la cinematográfica, cerrada, física y concreta. Lo mismo ocurría a su modo con el teniente Gamboa, con el Esclavo, con el Poeta. El proceso de encontrar equivalencias se convierte en algunos casos en hallazgos que no solo pueden enriquecer un modelo literario, sino también transformar el punto de partida en un descubrimiento, en algo nuevo. La ominosa atmósfera de los tonos grises del color que se había elegido envolvía a los personajes en un clima singular que lo específicamente cinematográfico consigue lograr con particular acierto. Por ejemplo, la mirada del actor Eduardo Adrianzén, que interpretó al Esclavo, una curiosa mezcla de candor y recelo, de hostilidad y confianza, descubre para el personaje una dimensión que me arriesgaría a afirmar que solo puede ser revelada por el cine.

A diferencia del escritor solitario, propietario absoluto de su creación, el cineasta acumula el variado aporte de un conjunto de otros creadores, grandes o pequeños según el caso, que modifican, que enriquecen, transforman para bien o para mal una obra que en un momento determinado adquiere una identidad propia. La concluyente naturaleza física del cine, su apariencia de realidad incontrovertible y completa, ofrece al mismo tiempo una inusual capacidad para expresar lo ambiguo, lo incierto, una inmaterial certeza de acercamiento a ese mosaico de contradicciones que es el alma humana. Es decir, la concreción y objetividad de la imagen tiene una inmensa capacidad para expresar lo que yo llamo ambigüedad, que fue el concepto clave sobre el que se sostuvo la adaptación de *La ciudad y los perros*. ¿Quién es el héroe y quién el villano de la historia? ¿Quién está libre de culpas? ¿Quién asesinó finalmente al Esclavo? Una ambigüedad de miradas, de comportamientos, de preguntas sin respuesta, de aparentes traiciones atraviesa la película permanentemente. Expresar un universo marcado por la falta de certezas y en donde nada es lo que parece a primera vista fue nuestra opción, nuestro punto de vista, aquello a lo que me refería como fundamento inicial para abordar una adaptación.

En *Pantaleón y las visitadoras* decidimos que el concepto de base sobre el que debíamos escribir la adaptación fuera la obsesividad. Sin embargo, antes de entrar a tallar en el personaje central, debo confesar que *Pantaleón y las visitadoras* no me parecía una novela ni fácilmente adaptable al cine, ni cercana o afín —a lo mejor por su carácter paródico— a mi quehacer cinematográfico. Como todos sabemos, *Pantaleón y las visitadoras* sostiene gran parte de su brillo literario en la prodigiosa imaginación verbal de los informes del capitán Pantoja a sus superiores, redactados con una seriedad y precisión tan extremas para referirse a los avatares organizativos y anecdóticos de Pantilandia que terminan provocando una impresión de delirio, cercano al realismo mágico. Había que resolver, y creo que los guionistas Giovanna Pollarolo y Enrique Moncloa lo lograron, el complejo problema de convertir en escenas dialogadas y secuencias visuales una estructura de cartas e informes difícilmente asimilables para la imagen. Además también tenían que convertir, obligados por la concreción y los límites de duración de la película, una inicial comedia en un progresivo drama que interpretara la idea que nos había parecido más sugestiva como punto central de nuestro acercamiento: la obsesión de un personaje que avanza coherente e irremediablemente hacia su autodestrucción.

En la adaptación de *Pantaleón y las visitadoras* todo está centrado sobre el personaje protagonista. Queríamos hacer la radiografía de un personaje que inicialmente nos entrega una imagen de coerción y eficiencia y que, a partir de su testaruda diligencia, de su terquedad por llevar el sentido del deber al extremo más radical, termina convirtiéndose en un personaje patético y conmovedor. Retirando los oropeles visuales de la geografía física, del color de los personajes, inclusive de la perturbadora presencia de la brasileña convertida en colombiana por la mágica participación de Angie Cepeda, el valor, si es que lo tiene, del *Pantaleón* cinematográfico es de un lado su capacidad de abordar, de manera casi invisible, el paso de una comedia imaginativa a un drama irremediable; y de otro, de descubrir el perfil humano y psicológico del personaje de Salvador del Solar, ese oscuro misterio del alma humana que puede convertir un proyecto legítimo en una empresa desquiciada y delirante llevando a Pantaleón Pantoja a una dimensión inesperada de personaje trágico, y por ello mismo conmovedor.

Pantaleón y las visitadoras empezó como un proyecto de encargo para la televisión y terminó siendo para nosotros un producto entrañable. Para que ello ocurriera, solo fue necesario encontrar un punto de vista, una óptica personal que transformara una novela, un material abierto y generoso a una multitud de versiones, en otro material especial, diferente, singular. Esa singularidad, consecuencia del acercamiento creativo de un arte narrativo a otro, es lo que en mi opinión valida y enriquece la relación no siempre feliz entre la literatura y el cine.

* * *

Francisco J. Lombardi (Tacna, 1947) es el más prolífico y reconocido de los cineastas peruanos. Debutó con *Muerte al amanecer* en 1977, a la que siguieron numerosas películas, algunas de ellas premiadas en festivales internacionales, entre las que destacan *La ciudad y los perros* (1985), *En la boca del lobo* (1988), *Caídos del cielo* (1991), *Bajo la piel* (1996), *No se lo digas a nadie* (1998) o *Tinta roja* (2000). En los últimos años ha llevado al cine *Mariposa negra*, versión cinematográfica de una novela de Alonso Cueto.

LA LITERATURA, LA VIDA Y EL PODER EN LA OBRA DE VARGAS LLOSA

Diálogo entre Mario Vargas Llosa
y José Miguel Oviedo

José Miguel Oviedo: Tú y yo compartimos años de estudio en el colegio La Salle. Si no me equivoco, estuvimos juntos en sexto de primaria y primero y segundo de secundaria. En los tres años siguientes, dejaste La Salle y fuiste a estudiar al Leoncio Prado, y en este transcurso te perdí de vista. Ahora bien, no solamente compartíamos el mismo año, sino la misma carpeta, porque nos ponían en carpetas dobles, y nosotros dos estábamos en la misma. Pese a esa proximidad, yo no recuerdo que tú hablases alguna vez de literatura conmigo, y eso que conversábamos de todo (de fútbol, de enamoradas, de amigas y también de cosas banales). Yo tenía una vaga afición por el dibujo y hacía acuarelas, vocación que mató definitivamente el curso de dibujo que nos dictaron, y luego me olvidé por completo de eso. Pero nunca llegué a hablar contigo de literatura. ¿Lo he olvidado o es algo que tú sencillamente tenías muy guardado y reservado para ti?

Mario Vargas Llosa: Antes de contestarte, déjame dar testimonio de que efectivamente a mí me constan tus aficiones artísticas en lo que concierne al dibujo. Un día, revisando papeles, saltó del fondo de un baúl el dibujo de una reina de Lima, Ana María Álvarez Calderón, un dibujo que estaba lejos de ser una obra maestra pero que estaba lleno de buenas intenciones. La dedicatoria decía lo siguiente: «A Mario, mi compañerito de carpeta. José Miguel Oviedo». Volviendo a tu pregunta, yo creo que no hablamos de literatura y me parece que nunca hablé de literatura. Sin embargo, la literatura estaba muy presente en esos años, aunque yo no me diera cuenta, desde mi niñez y probablemente desde que aprendí a leer. Algo que digo siempre es que es lo más importante que me ha pasado en la vida. Porque yo recuerdo que gracias a la lectura se me enriqueció el mundo, y tengo muy presente la excitación y la ansiedad que me producían esas historias de aventuras que leía cuando vivía en Bolivia. De tal manera que comencé a leer muy temprano, y me parece que no dejé nunca de leer y que la lectura en todos los años de infancia fue una compañera muy presente, importantísima en mi vida, aunque desde 1946 una compañera algo secreta. Como tú sabes bien, a partir de 1946 empecé a vivir con mi padre, a quien solo conocí cuando tenía diez años, y mi padre no veía con buenos ojos mis aficiones literarias. Él tenía una desconfianza natural hacia una actividad que le parecía incompatible con el éxito social y económico en la vida y, dadas las condiciones, el lugar y la época, no dejaba de tener cierta razón. Entonces para mí la lectura, la primera manifestación de una vocación que es la actividad literaria, pasó a ser más bien una actividad secreta. Y es muy posible que en los años de La Salle, esos tres años que compartimos, aunque leía, y leía con mucha pasión, no hablaba de literatura porque me había acostumbrado a hacer de la literatura una actividad clandestina en mi vida.

JMO: Durante esos años, ¿leíste a Julio Verne?

MVLl: Sí, todos los autores de la época, que yo creo que se leían en toda América Latina: Karl May, Emilio Salgari, Julio Verne y después el que fue mi gran amor de infancia, Alejandro Dumas. Comencé a leer a Alejandro Dumas cuando estábamos en La Salle y lo seguí leyendo en el Leoncio Prado. Fue un autor que llenó realmente de exaltación, de aventura, de sueños, de excesos románticos todos mis años de juventud. Al extremo de que es un autor que nunca me he atrevido a releer después, por temor a que se destruyera ese recuerdo tan rico, tan precioso, que yo tengo de las obras de Dumas, sobre todo de las series de los mosqueteros. *Los tres mosqueteros* fue un libro que a mí me deslumbró. Es uno de los libros con el que me identifiqué más, compartiendo la vida de D'Artagnan, Athos, Portos, Aramis, soñando con la Corte de los Milagros, con las intrigas en la corte de Francia, y toda la serie. Recuerdo muchas veces, en una vida que ya va siendo larga, haber visto en sueños y, de pronto con nostalgia de juventud, ciertas imágenes que mi memoria guarda desde esa época: la muerte de Portos, por ejemplo, en una caverna donde ha colocado unos explosivos. En el momento de salir, ya prendida la mecha, hizo algo que no había hecho nunca antes en su vida, que era pensar, y pensó en qué ocurriría si no saliera a tiempo de la caverna. Esa reflexión lo paralizó, y así muere aplastado por las piedras en la explosión que él mismo provoca. O la muerte de D'Artagnan, una muerte realmente trágica, en el sitio de La Rochelle, cuando el mensajero que manda el rey con el bastón de mariscal está a punto de llegar al campamento donde se encuentra D'Artagnan.

JMO: Al recorrer tu obra, muy vasta, de una veintena de novelas o más (aparte de los libros de ensayos, obras de teatro, etcétera), uno tiene la sensación de que progresivamente te has ido convirtiendo en un novelista político o de temas políticos, con una gran preocupación sobre la vida colectiva de nuestro país. Generalmente se considera que el inicio de tu contacto novelístico con lo político es *Conversación en La Catedral*, y eso es cierto porque allí tratas la dictadura de Odría, el clima general de derrota, de frustración, de envilecimiento que se respiraba entonces y que tú conociste como un joven sanmarquino. En esa novela se nos cuentan las aventuras de Zavalita en San Marcos y su iniciación política en la llamada célula Cahuide, al lado de activistas de izquierda y marxistas, que reflejan un poco tu experiencia de esos años. Ahora bien, yo tengo la sospecha de que tu experiencia política comienza un poco antes de San Marcos. Creo que tu primera experiencia de lo que es el poder absoluto y desnudo, el poder que no se discute, basado en la supremacía, en la organización vertical, es lo que ocurre en el colegio Leoncio Prado, donde encuentras un aspecto que me parece fundamental y que estructura buena parte de tus novelas, un principio regulador de gran importancia que es el de las jerarquías militares, que reflejan la realidad de un país como el nuestro, que está estratificado, donde quien ejerce el poder no responde por él, sino que lo aplica sin discusión. Esa es la base de la organización, de la jerarquía militar. Yo pienso que allí viviste una primera experiencia de lo que era el país, de lo que era el poder ejercido en el país de una manera absoluta y sin discusión.

MVLl: De lo que era el país, sin ninguna duda. En ese sentido, aunque la experiencia del colegio militar fuera ingrata, yo le estoy muy agradecido al Leoncio Prado. Porque la idea que yo tenía del Perú, y que seguramente teníamos los alumnos de La Salle, era una idea muy aproximada, muy lejos de la complejidad, de los antagonismos, de la violencia típicos de la realidad peruana. Nosotros teníamos una visión de clase media limeña, en un periodo en que Lima era mucho menos representativa de la sociedad peruana de lo que es ahora, por ejemplo. Efectivamente, hoy día es una ciudad muy representativa del Perú, pero a fines de los años cuarenta no lo era. Viviendo en el medio en que nosotros vivíamos, teníamos la idea de que el Perú era un país de blancos, de mestizos, una sociedad occidentalizada, que más o menos participaba de la modernidad, y desde luego esa idea se hizo trizas cuando yo entré al colegio militar Leoncio Prado, que era un microcosmos de la realidad. Allí sí que estaban representadas todas las clases, todas las razas y en esa época también todas las regiones del Perú dentro de un sistema jerárquico y autoritario, y además muy representativo de lo que era en ese momento la sociedad peruana, que estaba viviendo la experiencia de la dictadura de Odría. Esa experiencia fue para mí fundamental. Me hizo conocer de una manera mucho más veraz la realidad peruana y creo que me descubrió un tipo de violencia social que hasta entonces yo desconocía.

Sin embargo, quizás la política había entrado en mi vida antes por razones familiares. Cuando el gobierno de Bustamante y Rivero fue derrocado por un golpe militar, esto no solo acabó con la democracia en el Perú, sino que causó un profundo trauma en mi familia. Mi abuelo materno, con quien yo había pasado mis primeros diez años, era pariente de Bustamante y Rivero, y en la familia Llosa había un culto a su figura. Era una persona que la familia admiraba, y me parece que con muy justa razón. Recuerdo la vivísima impresión que me causó el clima antiodriísta, antigolpista, que se respiraba en la familia y que me contaminó. De tal manera, creo que descubrí la política muy precozmente por razones familiares. Pero, con respecto a lo que es el Perú, los dos años de cadete leonciopradino fueron definitivos, y eso se refleja en *La ciudad y los perros*, una novela que yo no hubiera escrito sin esa experiencia.

JMO: Uno de los rasgos típicos de toda tu obra, con las excepciones que luego indicaré, es que tú trabajas con espacios físicos reconocibles. Para ti eso es esencial. Tu imaginación funciona a partir de espacios reales que tratas de reproducir del modo más minucioso posible, a veces con los nombres reales de calles, lugares y barrios. Tú procedes como un cartógrafo, y no hay que olvidar que tanto *La ciudad y los perros* como *La casa verde* tienen en sus ediciones originales, y quizás en las siguientes, mapas para que el lector sepa que los lugares en los que transcurre la novela existen fuera de la ficción. Ahora bien, esta asociación está subrayada por el hecho de que tú escribes sobre tu experiencia peruana. Tus historias ocurren en el Perú, pero hay dos grandes excepciones que son precisamente el tema de nuestro congreso. La primera excepción es *La guerra del fin del mundo*, que transcurre en el Brasil de fin del siglo XIX y que relata los acontecimientos políticos ocurridos entonces y escritos por un narrador previo que es Euclides da Cunha. Se trata de un caso único en tu obra, en la que tú escribes un libro basado en otro libro, un texto basado en otro texto, lo que los especialistas llaman metatexto. El otro es *La Fiesta del Chivo*, una novela que ocurre en República Dominicana y que trata los años de la dictadura de Trujillo. Estas son dos excepciones considerables, porque son dos obras de peso, son obras mayores. ¿Qué significó para ti, qué retos, problemas y soluciones tuviste que hallar para encarar la escritura de estas excepciones?

MVLl: Déjame decirte antes que tu comparación con un cartógrafo me ofende mortalmente, aunque probablemente sea cierta. Es verdad que para mí, si no hay detrás de las historias una realidad que parece ser la realidad concreta, por sus nombres, por su naturaleza, por su idiosincrasia, o que finge ser la realidad concreta, para mí es casi imposible crear. Hay algunos autores que son tan persuasivos, tan geniales, que consiguen romper mi resistencia hacia una literatura, diríamos, abstracta, pero es realmente excepcional. De dónde viene, no lo sé, pero no hay ninguna duda que yo tengo una predisposición que podemos llamar «realista». Desde luego, no se me ocurriría escribir jamás una historia que no estuviera aparentemente localizada en un punto de la realidad, no de la realidad literaria, sino de la realidad real. A qué se debe esto, no lo sé. Pero esta es una predisposición, una naturaleza, que me ha acompañado desde que escribí mis primeras historias. Ahora, yo soy muy consciente de que hablar de una realidad concreta en literatura es una ficción, que la realidad de la literatura es una realidad hecha de palabras y de fantasías y que, por lo tanto, hay una diferencia de naturaleza, de esencia, entre la realidad literaria y la realidad real que la inspira y que la literatura realista simula y finge describir. Si como lector una literatura abstracta generalmente me provoca rechazo, como escritor simplemente para mí es imposible concebir una historia que no tenga un contexto social, natural, que no remita, por lo menos en mi memoria, a algún modelo vivo. Por eso son tan importantes esos trabajos de documentación que hago con todas mis novelas. Es un trabajo que me familiariza con el mundo que quiero inventar.

JMO: Es un trabajo de campo…

MVLl: Sí, es un trabajo de campo, es un trabajo que no tiene que ver exactamente con lo que es la investigación de un sociólogo o un historiador que buscan deslindar una verdad, que no es mi caso. Es simplemente familiarizarme con un medio, de tal manera que esa investigación me dé una seguridad a partir de la cual pueda inventar personajes e historias. Esa estructura o ese contexto que tiene que ver en apariencia con una realidad concreta es lo que me da a mí esa mínima seguridad que necesito para inventar. Por eso seguramente son los escritores que fingen en sus obras la realidad los que suelen gustarme más, aunque desde luego hay escritores de tipo fantástico que admiro muchísimo. Pero una historia «realista», si está bien lograda, si es una gran historia, es la que para mí representa como lector el máximo placer.

Ahora voy a contestar tu pregunta. Precisamente debido a esta vocación realista en estas dos historias, una situada en Brasil y otra en la República Dominicana, me costó mucho trabajo lograr esa mínima seguridad que alcanzo cuando escribo historias peruanas. Ahí el problema parte del lenguaje. El español en el que yo escribo, a pesar de todos los años que llevo viviendo fuera del Perú, es el español peruano, es la variante peruana del español, es la que viene naturalmente a mi prosa a la hora de escribir. El caso de *La guerra del fin del mundo* fue más complicado porque no se trataba solamente de una historia que ocurría en un país donde no se hablaba el español peruano, sino donde no se hablaba el español. Se hablaba el portugués, o mejor dicho una variante brasileña del portugués, e incluso una variante bahiana del portugués brasileño. Entonces, con esta manía realista, yo quería crear en el lenguaje, sobre todo en los diálogos, la ilusión de que aquella conversación, de que aquellos parlamentos, aunque estaban escritos en español, estaban dichos en una lengua distinta. Eso me llevó a hacer un trabajo muy cuidadoso y prolijo para descastellanizar o «desperuanizar» en lo posible el español de *La guerra del fin del mundo*, utilizando brasileñismos, por ejemplo, pero más que brasileñísimos un tipo de sintaxis que subliminalmente podía hacer sentir al lector que quienes hablaban lo hacían en brasileño. Fue un trabajo para mí muy interesante, todo un desafío, porque no había tenido nunca antes un problema parecido.

En el caso de *La Fiesta del Chivo*, el problema se planteaba pero no con tanta gravedad. Allí yo podía sentir mejor la variante dominicana del español, más rápido y con más facilidad, porque además el español dominicano es un español muy pegajoso. Es una lengua muy sabrosa, muy musical, muy sensual y con unos dichos y unas expresiones que a través de la música dominicana se han hecho muy conocidos en el resto de América Latina. También en esta novela, sobre todo en los diálogos, he utilizado dominicanismos y una sintaxis dominicana, pero procurando, igual que en *La guerra del fin del mundo*, no extremar el procedimiento. Hay algo que para mí es muy mortificante en una novela, y eso es un lenguaje que de pronto, por lo llamativo, se emancipa de la historia y se convierte él mismo en historia y se interpone como un obstáculo entre el lector y lo narrado. Hay algunos grandes escritores que escriben así, libros donde la historia que se cuenta, más que anécdotas, más que personajes, es un lenguaje. Esto ocurre en *Paradiso* de Lezama Lima, por ejemplo. Cuando uno lee *Paradiso* no sigue tanto la historia de aquello que cuenta la novela. Muchas veces la historia que lee es la historia de las palabras con las que está escrita esta novela, que es un espectáculo verbal. También en las novelas de Miguel Ángel Asturias, incluso en *Señor Presidente*, que tiene una historia y unos personajes, hay un chisporroteo verbal tan llamativo que está constantemente interfiriendo entre la historia contada y el lector. Eso es algo que yo generalmente no quiero que ocurra en mis novelas. Aunque creo que en alguna ocasión ha sucedido, como en *Elogio de la madrastra*. Pero en general lo que me interesa fundamentalmente es la historia, los personajes, la situación, la trayectoria narrativa, y para eso procuro que el lenguaje sea funcional, por decirlo de alguna manera, que el lenguaje nunca se tome unas libertades que lo aparten de su función narrativa. Así que, incluso en esas dos novelas donde trato de ambientar verbal y lingüísticamente la historia, lo hice siempre con mucha moderación para que el lenguaje no apareciera nunca en la historia como un personaje.

JMO: Otra característica de tu narrativa, especialmente en el primer tramo de tu producción, es tu defensa y tu práctica firme de la objetividad narrativa. Es decir, tú has defendido la idea de que el narrador no debe interferir con sus personajes, no debe abusar de su historia, debe dejar que ella funcione por su cuenta y no ponerse del lado de ciertos personajes o contra otros. Debe dejar que esa decisión la tome el lector y que la obra mantenga una especie de imparcialidad. Yo creo que esa es una herencia de tu afición por la obra de Flaubert, que te enseñó las posibilidades de ese tipo de lenguaje. Sobre todo, te enseñó un modo de poder superar los hábitos predominantes en esa época, en nuestra narrativa, de novela comprometida en la que había personajes buenos y malos, cuestiones que defender y que atacar. Ahora bien, eso es evidente en tu obra, sobre todo al comienzo, pero progresivamente tú has puesto en cuestión o has ido variando el grado de esta objetividad, a partir diría yo de *La tía Julia y el escribidor*, porque allí por primera vez eres un personaje de la novela. El narrador Marito o Varguitas es un personaje que eres tú, totalmente ficcionalizado, y no eres tú al mismo tiempo. Es muy difícil que el lector se desprenda o ignore esa conexión, y en novelas posteriores esa imparcialidad se ha visto alterada por el hecho de que los temas que vas tratando son cada vez más ideológicos. Por ejemplo, *Historia de Mayta* y *Lituma en los Andes* ponen esa objetividad en un límite muy delicado porque, al tratar el tema político, la posición ideológica es casi inevitable. ¿Tú aceptarías que la objetividad ha llegado en ti a ser un poco más limitada que al comienzo?

MVLl: Los temas de ahora son distintos a los del comienzo, esto lo acepto. En cambio, no acepto la idea de que he renunciado a la objetividad narrativa en el sentido flaubertiano de la palabra. ¿Cuál es ese sentido flaubertiano? Simplemente que la objetividad de una ficción es otra ficción que forma parte de la ficción. Es decir, es una técnica, es una manera de organizar la historia que finge una neutralidad que simplemente es imposible. Es una ficción, es una ilusión, es un espejismo. Los grandes escritores hacen que ese espejismo se vuelva verdad, como ocurre con Flaubert. Él fue el primero en tener una conciencia clara de la importancia de que la ilusión de una ficción funcione en el lector, de que haya un sistema coherente a la hora de narrar. El sistema, en su caso, era el de esa «objetividad» que resultaba de un narrador aparentemente imparcial porque era invisible y no aparecía jamás interfiriendo o apareciendo entre sus personajes, sino que se ocultaba de una manera muy eficaz y sostenida detrás de los personajes, y esto daba la idea de que esa historia no tenía hilos que la movieran, sino que existía por sí misma. La frase de Flaubert era que un narrador debe ser como Dios, estar presente en todas partes de la historia y no ser visible en ninguna de ellas. Yo creo que sigo siendo fiel a esa idea del narrador, pero esto no significa de ninguna manera que una historia no tenga distintos narradores que se mueven en distintos planos de realidad, que se van relevando en la tarea de contar la historia. En este sentido lo importante es que esos relevos, esas transiciones entre un narrador y otro, sean muy eficaces, de tal manera que, al ocurrir esos tránsitos, no haya una ruptura de la ilusión o que sean tan rápidos que el lector no tenga tiempo de advertirlos sino cuando el cambio ya ha ocurrido. Yo creo que en mis libros la objetividad existe siempre como una técnica narrativa, pero que, al cambiar la naturaleza de las historias, el narrador se ha vuelto mucho más escurridizo y sutil que en las historias realistas del principio. En una historia como la de *La tía Julia y el escribidor*, por ejemplo, hay un Marito, hay un Varguitas, pero es otra mentira más de un mundo de mentiras, como es el mundo de una novela.

JMO: Un Varguitas ficticio en el fondo…

MVLl: A mí me interesó muchísimo ese libro desde el punto de vista técnico, porque me hizo descubrir de una manera directa que la novela es un género que no ha nacido para decir verdades, sino para contar mentiras que parecen verdades, para crear ilusiones. Comencé a escribir *La tía Julia y el escribidor* para contar la historia de Pedro Camacho, un autor de radioteatros a quien este mundo melodramático y truculento de sus historias le comía el seso y en un momento dado ya no sabía distinguir una historia de otra historia porque se le entreveraban. Yo quería que el lector descubriera esta historia a través de los radioteatros de Pedro Camacho, que iban a ir descomponiéndose a medida que la mente de Pedro Camacho perdiera coherencia y lucidez y entrara a lo pantanoso y lo confuso. Ahora, por esa propensión realista, cuando yo había avanzado algo la historia, de pronto me asusté. Me dije que esa historia iba a resultar inverosímil, iba a desembocar en una historia puramente imaginaria de un juego de la fantasía e iba a desconectarse de ese mundo real, de esa realidad real que yo quiero siempre que simulen mis novelas. Entonces esto me dio la idea de contar, junto con las historias delirantes de Pedro Camacho, una historia que fuera todo lo contrario, un testimonio personal, absolutamente objetivo, de un episodio de mi vida que tuvo algo de truculento y de radioteatral, mi primer matrimonio. Eso es lo que intenté hacer con el Varguitas de *La tía Julia y el escribidor*: trenzar la historia de Varguitas con las historias de los radioteatros de Pedro Camacho, que aparecen allí a través de una síntesis muy literaria de lo que son los radioteatros. Cuando empecé a escribir esa historia, descubrí que era imposible contarla con absoluta objetividad no literaria, sino histórica. Contar con exactitud cómo fue mi primer matrimonio era totalmente imposible. ¿Por qué? Porque ese matrimonio fue una experiencia vivida y no fue una experiencia verbal, fue una experiencia que vivió este cuerpo, estas manos, en unos paisajes muy concretos. Al convertir eso en palabras, esa experiencia de alguna manera se desrealizaba, pero además esa historia yo tenía que incorporarla a un contexto de anécdotas, de personajes, de ritmos narrativos que ejercían una enorme presión para que yo la modificara y la fuera adaptando de tal manera que hubiera una integración, que no apareciera eso como un *collage*. Y eso me llevaba a hacer ajustes.

JMO: Aclaración importante...

MVLl: Claro, concesiones a la ficción, correcciones a la verdad. Yo creo que cuando uno escribe una novela no cuenta verdades en ese sentido histórico, sociológico y literal. Cuenta una verdad, pero una verdad que depende del éxito o el fracaso de la historia que uno cuenta. Si esa historia está lograda y es capaz de persuadir al lector, de provocar en él una ilusión, una historia que lo lleva a identificarse con los personajes, con la anécdota, con el ambiente y de alguna manera proyectar sus propias vivencias en esa historia, ese lector descubre una verdad en esas mentiras que le cuenta la novela. Pero esa verdad no es una verdad literal, y pienso que esa es la razón por la que todas las novelas que han tratado de transmitir verdades ajenas a la historia literaria, como sucede en las novelas edificantes, han fracasado. Por ejemplo, está el caso de *El caballero del sol*. En la Edad Media, las novelas caballerescas provocaban mucha desconfianza a las autoridades religiosas, y entonces estas imaginaron unas novelas edificantes que, utilizando la técnica de la novela caballeresca, difundieran verdades religiosas. ¿Cuál fue el resultado? Que *El caballero del sol* no lo leyó nadie, no interesó a ningún lector y es una novela que pasó absolutamente sin pena ni gloria. Y lo mismo ha pasado con todos los intentos de utilizar la novela para difundir verdades políticas, dogmas de tipo ideológico. Y esto sucede porque la verdad de la novela es una verdad que viene a través de la mentira, una verdad que solo puede venir a través de esa ilusión, de esa ficción, de esa negación de la realidad objetiva que es la novela. Para mí la experiencia de *La tía Julia y el escribidor* fue muy instructiva. A partir de ella me quedó muy claro que, cuando uno cuenta novelas, no debe pretender utilizar la novela como un instrumento para decir verdades, sino que debe tratar de escribir buenas novelas, ficciones persuasivas, ficciones que simulen esa autonomía, esa independencia, y que sean capaces de seducir al lector y de integrarse a su vida, como una experiencia vivida. Si eso ocurre, hay una verdad que se transpira, que resulta y que muchas veces es una verdad totalmente imprevista y sorprendente para el propio autor.

JMO: Otro rasgo definitorio de tu producción novelística, y que es muy curioso, muy insistente y singular, es que cuando aparecen personajes escritores, cuya función principal es la de escribir, cuando aparecen intelectuales o periodistas, aquellos hombres cuya función es el uso de la palabra escrita, las figuras a través de las cuales los representas suelen ser grotescas, paródicas o ridículas. El escritor en tus novelas suele ser un escribidor, es decir que tiene un nivel un poco más bajo, un nivel un poco más degradado del normal, y hay varios modelos de esa figura del intelectual degradado o ridiculizado. Uno es, por ejemplo, el cadete Alberto de *La ciudad y los perros*, al que llaman «el Poeta» porque escribe novelas pornográficas que vende para comprar cigarrillos; o sea, es un escritor venal. Otra figura muy conocida es Zavalita, que quiso ser un intelectual de algún modo pero es un humilde, oscuro y mediocre editorialista de *La Crónica* que escribe sobre asuntos banales o de actualidad que no le interesan. Zavalita se llama a sí mismo «cacógrafo», escritor de basura periodística. E incluso en *La guerra del fin del mundo* encontramos el importantísimo personaje que llamas «el periodista miope», que es posiblemente Euclides da Cunha. Él mismo es una figura ridícula, porque él, que tiene que ser testigo de los grandes acontecimientos que están pasando, no ve bien. Además lleva el tintero en la manga. En fin, es un personaje ridículo, es honesto pero no es una figura que inspira o sugiere nobleza. Entonces, ¿por qué esta insistencia en presentar al escritor bajo esas imágenes? ¿Hay alguna experiencia, alguna razón, que te ha hecho insistir en ese tipo de presentación?

MVLl: La verdad es que, si los críticos no lo hubieran señalado, tal vez yo ni me habría dado cuenta. Pero ahora que lo dices, veo que en mis novelas aparece gente que escribe y escritores que son muchas veces paródicos, escritores poco respetables, versiones más bien un poco caricaturizadas de lo que es un escritor. No tengo ninguna explicación, y respeto mucho a los escritores por razones obvias, aunque no a todos. Si a alguien respeto es al escritor que me produce placer, que enriquece mi vida, que me defiende ante la adversidad, contra el infortunio, así que tengo muchísimo respeto por los escritores. En mis novelas sé cuál es el origen de esos personajes que tú has mencionado. Pedro Camacho está inspirado en un escritor de radioteatros que yo conocí, que desde luego era muy diferente del Pedro Camacho de mi novela, que vivió una historia que para mí resultó tremendamente estimulante para fantasear a partir de ella. En el caso de Zavalita, cuando fui periodista siendo muy joven, conocí un mundo en el que los personajes que vivían esas experiencias de frustración eran frecuentísimos. Ese era un mundo de vocaciones frustradas, de vocaciones a medio realizar, en parte por desidia, por inhibición, y en parte por un ambiente que era tremendamente disuasivo para esa vocación, que exige una disciplina y una terquedad. Entonces sé de dónde han salido esos personajes. Pero por qué vuelen a mis historias, la verdad es que no sabría decirlo. Estoy seguro de que un psicoanalista nos lo esclarecería con gran facilidad.

JMO: Voy hacerte dos preguntas. Una tiene que ver con lo que señalé acerca de las dos excepciones en tu obra de novelas que no tienen relación con el Perú: *La guerra del fin del mundo* y *La Fiesta del Chivo*. Pero la novela que estas escribiendo precisamente ahora, aunque tiene que ver con un personaje peruano, Flora Tristán, está basada en o incorpora personajes no peruanos y personajes reales y perfectamente conocidos, famosísimos en la historia, fundamentalmente del arte. Uno de ellos es Paul Gauguin, el pintor. ¿Por qué? Porque Flora Tristán fue abuela de Gauguin, y Gauguin mismo pasó los primeros siete u ocho años de su vida en el Perú. Es curioso ver que en su obra pictórica hay ecos de vasos, huacos, figuras e imágenes peruanas. Fernando de Szyszlo, con su prodigiosa memoria, me ha hecho recordar que había un coleccionista de arte de la época, Achille Arosa, que coleccionaba arte moderno pero también arte precolombino y posiblemente inspiró a Gauguin en algunas de sus telas. Ahora bien, yo lo que quería preguntarte es algo sobre este proyecto que tienes entre manos y que te está llevando a un terreno muy curioso que ya está anunciado en otras novelas tuyas, especialmente en las novelas eróticas *El elogio de la madrastra* y *Los cuadernos* *de don Rigoberto*, que es el elemento plástico, el elemento de la pintura. Sé que acabas de estar en Chicago, donde has visto una exposición de Van Gogh y Gauguin, persiguiendo ciertas obras sobre las cuales vas a dedicar algunos episodios en tu novela. Me gustaría conversar contigo acerca de eso.

MVLl: Es una novela sobre la utopía, en realidad encarnada en dos personajes, Flora Tristán y Paul Gauguin, la abuela y el nieto que, aunque no se conocieron porque Gauguin nació cuatro años después de la muerte de Flora Tristán, fueron bastante parecidos y tuvieron unas personalidades muy semejantes. Un rasgo común en ellos fue la búsqueda de la utopía, es decir, la idea de que existe una sociedad perfecta que puede ser creada en este mundo. Esa es una idea muy popular en el siglo XIX, sobre todo en Francia, donde vivió Flora Tristán. En el caso de Flora Tristán, la utopía que ella buscó y trató de crear en la realidad fue una utopía de tipo social, una sociedad justa donde no hubiera la discriminación terrible que había en su época contra las mujeres, una sociedad libre y además fundada sobre el amor y la solidaridad. Gauguin participó de esta vocación utópica, que fue tan fuerte en el siglo XIX, pero desde luego él no tenía la menor inquietud social, más bien lo contrario, y la utopía que él buscó era una utopía artística. Ambos, en la búsqueda de esta utopía, vivieron unas existencias dramáticas, con experiencias que pusieron a prueba sus convicciones, los llevaron a enfrentar terribles adversidades y de alguna manera los engrandecieron. Flora Tristán no hubiera escrito lo que escribió si detrás de esos libros no estuviera esa convicción absoluta de que el Paraíso podía ser creado en esta tierra. En la pintura de Gauguin lo más interesante nace de esa idea de que hay en el mundo todavía un lugar donde el arte, es decir la belleza, es el patrimonio de todos. Él llegó muy rápidamente a la convicción de que el arte occidental había entrado en decadencia porque había pasado a ser el monopolio de una pequeña colectividad de artistas, de críticos y de coleccionistas, porque se había escindido totalmente de la sociedad y estaba condenado a la asfixia, a la desaparición.

En cambio, el verdadero arte no era el de la civilización, sino el arte primitivo, el arte de esos pueblos que hacían arte sin saberlo porque pintaban y esculpían cumpliendo a la vez un mandato religioso, una manera de existir en la cual la creación artística era una actividad tan esencial como la de hacer el amor o comer. Esa era su idea de un arte puro, rico, intenso, y él estaba seguro de que existía en su tiempo, como había existido en el pasado, en esas culturas que él en realidad descubre cuando era niño en el Perú y que luego en París va a buscar desesperadamente al museo etnológico, a las exposiciones que traían arte africano o asiático. En busca de esa sociedad primitiva, donde la belleza era patrimonio de todos y en donde el arte tenía una energía y una vitalidad que según él había perdido en Europa, hizo todos sus viajes. Primero fue a Bretaña porque creía que allí había una sociedad todavía muy tradicional y primitiva que se resistía a esa modernización que según él era mortal para el arte. Luego viajó a Panamá, a Martinica y luego intentó ir a Madagascar, a lo que se llama hoy en día Vietnam y finalmente fue a Tahití. Nunca encontró esa sociedad perfecta, porque esa sociedad perfecta solo existía en su cabeza, pero esa búsqueda es la que está detrás de su gran aventura y detrás de una obra que realmente abre a Europa hacia el resto del mundo y legitima las culturas primitivas, que hasta entonces eran observadas, desde una perspectiva europea, como algo más bien folclórico y pintoresco.

Es muy interesante el caso de esos dos personajes, porque además efectivamente ambos están vinculados al Perú. Sería una exageración hablar de Flora Tristán como una peruana porque, aunque su padre lo fuera, ella no lo fue. Nació en Francia y, salvo los ocho meses que pasó en Arequipa y los dos meses en Lima, toda su vida transcurrió en Francia y algo en Inglaterra. Sin embargo, la experiencia peruana fue fundamental para ella. Cuando vino al Perú, era una jovencita muy rebelde pero muy confusa y poco formada, y la experiencia peruana la marcó de alguna manera y le dio la convicción de que era posible actuar, de que ella como mujer podía actuar y militar a favor de esa transformación social profunda. Eso está muy claramente en las páginas de *Peregrinaciones de una paria*, donde además de la descripción de lo que era esa república en sus comienzos hay una toma de conciencia de tipo político. Y Gauguin, en sus primeros años, vio esos huacos y telas prehispánicas que quedaron por siempre en su memoria y que luego aparecen en sus cuadros tahitianos. Él fue a Tahití en busca de telas, de tótems, de cerámica, y nada de eso existía en Tahití; si había existido alguna vez, había desaparecido o lo habían hecho desaparecer los misioneros y pastores. De tal manera que se encontró con un mundo que carecía de esas estatuas y telas, y esas telas y estatuas que aparecen en sus cuadros muchas veces tienen como modelo remoto esos huacos y esas figuras prehispánicas peruanas que él vio en su infancia. Así que es cierto que son dos personajes que curiosamente están vinculados al Perú, y curiosamente el Perú alimentó en ambos ese sueño utópico.

JMO: No tengo más remedio que hacerte la última pregunta, que es una cuestión de peso, de una manera muy rápida y casi en términos crudos. En estos momentos, el mundo está embarcado en una guerra contra la intolerancia. ¿Ves con optimismo el resultado de esta batalla? ¿Qué piensas tú, como el novelista de la rebelión de Canudos en la Brasil de hace más de un siglo, de los riesgos de combatir la intolerancia al mismo tiempo que preservar las tradiciones o formas de vidas primitivas? ¿Cómo crees que debe o puede resolverse este dilema entre modernidad y cultura tradicional?

MVLl: Es un viejo combate, ¿no? El combate contra el fanatismo tiene una larguísima tradición en la historia. El factor nuevo, el factor inquietante, es que en el pasado los grupos fanáticos, los individuos fanáticos, los que se creen dueños de verdades absolutas y con el derecho de imponerlas a la fuerza, no contaban con una tecnología de la destrucción capaz de producir la devastación de la tecnología actual, una tecnología que no solo ha evolucionado hasta ser técnicamente posible la desaparición de la humanidad, sino que además se ha abaratado considerablemente y está al alcance de grupos con recursos incluso limitados. Me parece que esto ha quedado clarísimo y es algo evidente a partir del 11 de septiembre. Me preguntas si soy optimista. Pienso que hay una civilización de la tolerancia, de la convivencia, del pluralismo, de los derechos humanos que hasta ahora ha triunfado y pienso que este nuevo fanatismo es un fanatismo que por una parte es claramente destructor, porque quienes lo ejercitan están dispuestos a morir y quien está dispuesto a morir puede causar muchísimo daño. Pero, por otra parte, ese mismo fanatismo lo limita tremendamente, lo reduce a unas proporciones que yo creo que difícilmente pueden constituir un desafío comparable al desafío que enfrentó la cultura democrática con los fascismos y comunismos a lo largo del siglo XX. A mediano plazo soy optimista, pero en el corto plazo las posibilidades de destrucción que tiene ese fanatismo son muy grandes, y sobre eso no debemos engañarnos. Después del 11 de septiembre, sabemos que uno de estos grupos puede perfectamente hacer estallar un artefacto atómico en una gran ciudad y causar miles de miles de muertos, o envenenar el agua o el aire de una colectividad para que mueran miles de inocentes. Esa es hoy día una realidad que pende sobre nuestras cabezas, como una espada de Damocles, y creo que en gran parte la confrontación del siglo XXI, así como en el siglo XX fue la confrontación entre la cultura democrática y las ideologías totalitarias, probablemente sea ese enfrentamiento entre la cultura democrática y los fanatismos. Desde luego, el terrorismo es un nuevo tipo de confrontación, una guerra de incalculables consecuencias.

* * *

Mario Vargas Llosa (Arequipa, 1936) cobró notoriedad con la aparición de *La ciudad y los perros* (Premio Biblioteca Breve de 1962 y Premio de la Crítica en 1963). En 1965 apareció su segunda novela, *La casa verde*, que obtuvo el Premio de la Crítica y el Premio Internacional

Rómulo Gallegos. Más adelante publicó piezas teatrales (*La señorita de Tacna, Kathie y el hipopótamo, La Chunga, El loco de los balcones, Ojos bonitos, cuadros feos* y *Al pie del Támesis*), ensayos (*García Márquez, historia de un deicidio, La verdad de las mentiras* y *La tentación de lo imposible*), memorias (*El pez en el agua*), relatos (*Los cachorros*) y, especialmente, novelas: *Conversación en La Catedral, Pantaleón y las visitadoras, La tía Julia y el escribidor, La guerra del fin del mundo, Historia de Mayta, ¿Quién mató a Palomino Molero?, El hablador, Elogio de la madrastra, Lituma en los Andes, Los cuadernos de don Rigoberto, La Fiesta del Chivo, El Paraíso en la otra esquina* y *Travesuras de la niña mala*. Los libros de Mario Vargas Llosa, traducidos a decenas de lenguas y elogiados en el mundo entero, lo han convertido en un clásico vivo, capaz de cambiar la manera de asumir la vida y de entender la historia. Gracias a estas cualidades, ha obtenido los galardones literarios más importantes, entre los que se encuentran el Premio Cervantes, el Príncipe de Asturias, el PEN/Nabokov y el Grinzane Cavour.

* * *

José Miguel Oviedo (Lima, 1934) es crítico literario, ensayista, narrador y profesor universitario. Ha ejercido el periodismo y también ha sido director del Instituto Nacional de Cultura. Ha sido profesor visitante en la University of Essex (Inglaterra), en State University of New York (Albany) y en Indiana University (Bloomington), donde luego fue profesor titular. A partir de 1980 ejerció el mismo cargo en University of California (Los Ángeles), y en 1988 fue nombrado profesor en la University of Pennsylvania (Filadelfia). Ha sido colaborador o miembro del consejo editorial de diversas revistas de América y Europa. Entre otros libros, ha publicado *La Edad de Oro, Antología crítica del cuento hispanoamericano del siglo XX, Historia de la literatura hispanoamericana* (cuatro volúmenes) y *La vida maravillosa*. Es especialista en la obra de Mario Vargas Llosa, y autor de un ensayo fundamental acerca del gran escritor peruano: *Mario Vargas Llosa: la invención de una realidad*.

ÍNDICE

Este libro se terminó de imprimir en los
talleres gráficos de
METROCOLOR S. A.,
Los Gorriones 350, Lima 9, Perú.